BEAVLNE .

PAGES DE GARDE :
La ville de Beaune au XVIIe siècle,
gravure extraite de *Topographia Galliae*,
de Gaspard Mérian, 1657.

AUTOUR D'UN VIN

Beaune

[Beaune · Côte-de-Beaune · Beaune Premier Cru]

DAVID COBBOLD

Avec la collaboration
de Sébastien Durand-Viel

Flammarion

Une production Archipel concept
9, rue de la Collégiale – 75005 Paris

Direction éditoriale :
Jean-Jacques Brisebarre

Création graphique :
Thomas Brisebarre

Édition :
Juliette Neveux

Recherche iconographique :
François Leclerc

Secrétariat d'édition, correction :
Geneviève Le Dilosker

ISBN : 2-0820-0393-0
N° d'édition : FT 0393
Dépôt légal : octobre 2001

Achevé d'imprimer en septembre 2001
Imprimé dans la CEE

Beaune

[Beaune · Côte-de-Beaune · Beaune Premier Cru]

Son terroir

Sa dégustation

L'âme des vins de Beaune

Bien que Dijon soit la capitale administrative de la Bourgogne, Beaune en reste l'incontestable capitale viticole. Les vins de toute la côte d'Or, cœur du vignoble bourguignon, se sont longtemps appelés « vins de Beaune », comme ceux de la Gironde ont pris le nom de la ville d'où ils étaient exportés, Bordeaux.

Les Hospices de Beaune, aux toits de tuiles vernissées, sont le symbole d'une ville dont la structure reste empreinte de sa richesse médiévale.

Centre historique et géographique du vin de Bourgogne, carrefour des voies nord-sud et est-ouest, la ville de Beaune reste aujourd'hui très active. En effet, les fameux Hospices de Beaune hébergent, chaque année, la non moins célèbre vente aux enchères qui ouvre la campagne du dernier millésime et les plus anciennes maisons de négoce de Bourgogne sont toutes beaunoises. Au cœur de ce mince ruban de vignes qui s'accrochent à un coteau aride, Beaune est une ville de taille humaine, encore dominée par un centre historique aux ruelles étroites qui permettent au piéton de découvrir la structure d'une ville médiévale et un ensemble de somptueux bâtiments de la Renaissance.

La partie méridionale de la côte d'Or, qui nous mène de Ladoix-Serrigny, au nord de la ville de Beaune, jusqu'à Maranges au sud, en Saône-et-Loire, se nomme Côte de Beaune, abandonnant à la petite ville de Nuits-Saint-Georges la partie septentrionale. Cette région viticole regroupe dix-huit communes, dont Beaune est l'unique cité. Depuis la mise en place du système des appellations contrôlées, la majorité des vins de la côte d'Or a pris le nom de leur commune, et ceux de Beaune ne font pas exception à cette règle. Ses vignes descendent de la côte jusqu'aux abords de la ville. Par ses dimensions, son vignoble est le premier de la côte de Beaune.

Essentiellement vinifiés en rouges, les vins de Beaune constituent une sorte de synthèse des expressions du pinot noir de Bourgogne dont la force s'allie parfois à la finesse, au gré de la parcelle et de la vinification. Les deux tiers des vignes sont classés en Premiers Crus, et les « climats » – ainsi nomme-t-on les terroirs viticoles en Bourgogne – tirent, comme toujours, leur personnalité du milieu naturel : plus anguleux du côté de Savigny, et plus riche et rond du côté de Pommard. Mais si l'essentiel de la production de Beaune est consacré au vin rouge (à 90 %), il existe également une intéressante production de vins blancs, y compris en Premiers Crus.

Dans le dédale des appellations bourguignonnes, Beaune bénéficie d'un système d'appellation relativement simple, comparé à d'autres qui prévalent sur la côte d'Or. On y trouve deux catégories principales : appellation « Beaune Contrôlée » et appellation « Beaune Premier Cru », plus une troisième appellation un peu marginale qui ne concerne que quelques parcelles situées au sommet du coteau, où les raisins mûrissent plus tardivement, « Côte-de-Beaune », qu'il ne faut pas confondre avec l'appellation Côtes-de-Beaune-Villages, qui permet l'assemblage de vins issus de toute la côte de Beaune.

AUTOUR D'UN VIN

Beaune

[Beaune · Côte-de-Beaune · Beaune Premier Cru]

Son terroir

Le vignoble de Beaune à travers les siècles

La ville de Beaune est située à un emplacement stratégique, à un carrefour européen de voies nord-sud et est-ouest dont Jules César avait déjà saisi l'importance puisqu'il y fit construire l'un des plus puissants camps militaires fortifiés de l'époque romaine. Après l'effondrement de l'Empire romain, les Burgondes occupèrent le site et, par la suite, Beaune devint la capitale des ducs de Bourgogne où ils résidèrent jusqu'au XIVe siècle. L'importance de la cité, ensuite, a décliné au profit de Dijon, surtout lorsque les ducs de Bourgogne y ont transféré leur capitale. Depuis le XVIIIe siècle, lorsque les premiers négociants – les familles Champy, Bouchard et Chanson – s'installèrent dans la ville, la fortune de Beaune est intimement liée au monde du vin. Encore aujourd'hui, bon nombre de maisons parmi les plus illustres y ont conservé leur siège : Bouchard Père et Fils, Chanson, Louis Latour, Drouhin, Louis Jadot…

Le château de Corton, dans le village d'Aloxe-Corton, entouré de ses vignobles qui brillent, à l'automne, comme les tuiles de sa toiture.

Aux origines du vignoble

La présence de la vigne dans la région de Beaune est connue depuis l'an 312, lorsque l'empereur Constantin rendit visite aux Éduens, à *Augustodunum*, c'est-à-dire Autun, leur capitale. L'Empire était en déclin, et des barbares d'outre-Rhin avaient pillé la cité à deux reprises, en 269 et en 276. Lors de sa venue, l'empereur écoute la traditionnelle plainte des citoyens qui réclament des allégements fiscaux, mais le texte de cette allocution, qui nous est parvenu, a le mérite de bien décrire le vignoble de la côte d'Or : «... adossé d'un côté à des rocs et à des forêts impraticables..., il domine de l'autre une basse plaine qui s'étend jusqu'à la Saône». Il évoque des vignes «tellement épuisées de vieillesse que c'est à peine si elles ressentent encore les soins que nous leur donnons». Cela signifie probablement que ce vignoble date au moins du milieu du siècle précédent, sinon avant.

Le vignoble des ducs de Bourgogne

Nous ne savons que peu de choses de la viticulture en Bourgogne entre l'Antiquité tardive et le XIe siècle, période de renaissance qui voit s'épanouir la civilisation des monastères. Dès 1100, la jeune abbaye de Cîteaux commence à recevoir, en dons, des terres à vignes sur toute la côte d'Or, dont des parcelles situées à Beaune. Très vite ce vignoble se démarque de celui de l'Auxerrois, dont les vins appelés «vins de Bourgogne» prenaient la direction de Paris. Ceux de la côte d'Or, baptisés «vins de Beaune», faisaient l'objet d'un commerce animé par les marchands de la ville et destiné aux pays du Nord. N'oublions pas l'importance et la richesse, à cette époque, des ducs de Bourgogne dont le royaume s'étendait jusqu'aux Pays-Bas et qui rivalisaient en puissance avec les rois de France. En superficie, le vignoble ducal n'était pas plus étendu que celui d'un négociant propriétaire commun d'aujourd'hui : une cinquantaine d'hectares. Déjà, les

L'abbaye de Cîteaux, dont les vignobles de la côte d'Or furent, dès le XIIe siècle, à l'origine des « vins de Beaune ».

domaines étaient constitués de nombreuses petites parcelles disjointes acquises au gré des transactions : des livres de comptes, de 1271 et 1276, décrivent des parcelles de six ouvrées, soit 25 ares environ. Le morcellement actuel du vignoble bourguignon n'est pas exclusivement le fait des lois sur l'héritage qui ont suivi la Révolution ; il fait partie de la nature même du terroir, qui encourage, depuis toujours, la recherche des meilleures parcelles, même de dimension minuscule.

La renommée des vins de Beaune

C'est entre les XIIIe et les XVIe siècles que la renommée des vins de Beaune s'affirme. La production, longtemps dominée par les cépages blancs, fait une plus large place au vin rouge. Henri d'Andeli, dans son poème *La Bataille des vins*, écrit vers 1220, évoque les vins blancs de Beaune : « plus verts qu'une corne de bœuf ». Un demi-siècle plus tard, Eustache Deschamps, grand personnage de la cour de Charles V et de Charles VI, vante cette fois les mérites d'un cépage rouge : « ... de ce droit plant de

Beaune, qui ne porte pas couleur jaune, mais vermeille, fresche et plaisant... » ; il s'agit probablement déjà du pinot noir. En 1395, Philippe le Hardi, duc de Bourgogne, fait un pas vers ce qui deviendra, bien plus tard, le système des appellations contrôlées, en condamnant les mauvais plants et les techniques viticoles empiriques. C'est depuis cette époque que le gamay est exclu des meilleures parcelles, au profit du pinot noir. À l'apogée du pouvoir des ducs de Bourgogne, vers le début du XVe siècle sous le règne de Philippe le Bon, la richesse et le prestige de la cour de Bourgogne étaient au moins égaux à ceux du roi de France. La construction des Hospices de Beaune, à l'initiative du chancelier de Philippe le Hardi, Nicolas Rolin, date de cette période. Rabelais fait venir des pieds de vigne de Beaune afin de planter le vignoble entourant le temple de La Dive Bouteille, et fait dire à Panurge : « Par Dieu, c'est ici du vin de Beaune, meilleur qu'oncques jamais je ne beus. » En 1572, deux auteurs, Charles Estienne et Jean Liébaut, recensent dans *l'Agriculture et maison rustique* les différentes vertus des vins du royaume. Ceux de Beaune « tiennent le premier

La ville de Beaune au XVIIe siècle, gravure extraite de *Topographia Galliae* de Gaspard Mérian, 1657.

rang » et sont de « goût plaisant » et « délicat ». Plus tard, Louis XIV délaissera les vins de Champagne pour ceux de Beaune, mais il est vrai que le Roi-Soleil le fit sur les conseils de son médecin, Fagon, originaire de Bourgogne !

Le transport des vins

On ne peut comprendre les fortunes diverses de telle ou telle région viticole française sans avoir pris en compte les difficultés de transport des vins avant l'invention de la bouteille et l'arrivée du chemin de fer. Pour l'une comme pour l'autre, du moins pour une utilisation devenue courante, il fallut patienter jusqu'à la fin du XIXe siècle. En attendant le progrès, la région beaunoise est privée de la proximité d'un cours d'eau lui permettant d'acheminer ses vins vers Paris ou de participer aux grands marchés d'exportation. Il fallut attendre l'ouverture du canal de Bourgogne, au XIXe siècle, pour que Beaune soit reliée à Paris par une voie navigable et puisse ainsi rivaliser avec Bordeaux. Cette absence d'activité portuaire, fluviale ou maritime, a certainement contribué à éclipser le terme « vin de Beaune » au profit du nom de la région, « vin de Bourgogne ».

La naissance des grandes maisons

Mais déjà au XVIIIe siècle, et après une relative éclipse, les vins de Beaune, comme d'ailleurs ceux de toute la Bourgogne, bénéficiaient d'un regain d'intérêt international dû principalement à l'activité des marchands de vins, souvent issus d'autres horizons commerciaux et disposant d'importants réseaux de contacts et de capacités financières. Certaines de ces maisons de négoce, basées à Beaune, achetèrent des vignobles, devenant ainsi à la fois propriétaire et négociant, telle la plus célèbre d'entre elles, Bouchard Père et Fils, établie en 1731 et toujours très active, ou les Maisons Champy et Chanson encore plus anciennes. Certaines de ces maisons ont pleinement profité du démembrement des biens du clergé, à partir de 1792, qui leur permit d'acquérir de nombreuses parcelles.

Tout au long du siècle suivant, l'activité de négoce – certainement favorisée par l'extrême morcellement du vignoble bourguignon dont Beaune est le centre géographique – s'est encore développée, et quelques-unes des maisons nées à cette époque sont encore aujourd'hui mondialement connues, comme Louis Latour, Louis Jadot ou Joseph Drouhin.

Le XIXe siècle a été un âge d'or pour les négociants de la ville et l'ouverture du vaste marché allemand, à la suite des guerres napoléoniennes, a été largement profitable aux marchands de l'est de la France, champenois et bourguignons. Par la suite, l'amélioration progressive des moyens de transport et l'arrivée du chemin de fer ont largement contribué à faire connaître les vins de toute la Bourgogne, et pas seulement ceux de Beaune, à travers l'Europe entière.

Pleins de feu et de bouquet

La renommée des petites parcelles de vignes singulières autour de Beaune a émergé plus tardivement que dans d'autres parties de la côte de Nuits ou, un peu plus au sud, à Meursault ou à Puligny.

La vigne de l'Enfant Jésus, parcelle située au cœur du Premier Cru de Beaune « les Grèves ».

Les premiers témoignages sur le caractère spécifique des vins de Beaune nous sont fournis par l'abbé Arnoux, en 1728. Il écrit : « Ces différents terroirs produisent des vins qui participent du Volnay et du Pommard sans en avoir les défauts : ils ont un peu plus de couleur, beaucoup de bonnes qualités et de durée [...]. Ils sont plus suaves, plus agréables et plus de commerce que les deux précédents, et beaucoup plus profitables à la santé. » Au siècle suivant, les médecins font autorité dans le domaine du vin et, en 1831, le docteur Morelot écrit que les vins de Beaune sont « fermes, francs, colorés, pleins de feu et de bouquet ».

Les oubliés des Grands Crus

Le vignoble de Beaune est un cas singulier, mais pas unique dans la côte d'Or, car aucune de ses parcelles n'a accédé au rang de Grand Cru lors de l'établissement des décrets sur les appellations contrôlées à partir de 1936. Pourtant les importants travaux du docteur Lavalle, publiés en 1855 et qui ont servi de base à la mise en place des AOC, citaient quatre vins de Beaune ayant le rang de « tête de cuvée », autrement dit placés au même niveau que des parcelles aussi célèbres que la Romanée Conti, la Tache, le Chambertin, le Corton ou bien le Montrachet. Ces parcelles sont : les Fèves, les Grèves, Aux Cras, et les Champs-Pimont. Suivent ensuite onze parcelles bénéficiant du rang de Premier Cru. Lavalle situe Beaune au premier rang des communes de la côte d'Or par la surface de son vignoble, place qui lui a depuis été ravie par Gevrey-Chambertin, le développement de l'urbanisation y étant certainement pour quelque chose. Dans le classement actuel, près des deux tiers du vignoble de Beaune sont classés en Premier Cru, ce qui indique le potentiel moyen de cette commune.

La couleur des vins de Beaune

La couleur dominante des vins de Beaune n'a pas toujours été le rouge. De nos jours, moins de dix pour cent des vins produits à Beaune sont des blancs, mais cette proportion a été bien plus élevée dans le passé, comme au XIXe siècle, lorsque les « vignes blanches » occupaient à peu près la moitié du vignoble.

La technique moderne consistant à vinifier séparément les raisins rouges des raisins blancs n'était que peu répandue autrefois et il en résultait des vins de couleur « œil-de-perdrix » que l'abbé Arnoux, célèbre commentateur des vins de Bourgogne du XVIIIe siècle, décrivait ainsi : « vins roses délicats, qui l'emportent éminemment par-dessus tout ». Mais l'Angleterre du XIXe siècle apprécie les vins rouges plus foncés, sans doute car la mode y consiste à faire vieillir le vin en

Une grappe de pinot noir à l'époque de la véraison.

bouteilles au lieu de consommer la production de l'année, comme c'était alors l'usage. Les vins de Nuits et de la côte qui l'entoure, essentiellement rouges, furent alors plus recherchés que les vins de Beaune et, lorsqu'il fallut replanter le vignoble de Beaune à la suite des attaques du phylloxéra, le pinot noir fut largement favorisé par rapport au traditionnel chardonnay.

L'individualité des vins de Beaune

Aujourd'hui, environ la moitié du vignoble de Beaune appartient aux grandes maisons de négoce qui ont, assez logiquement, acheté des parcelles autour de leur siège beaunois. Par conséquent, le nombre de petits producteurs est proportionnellement plus faible dans le vignoble de Beaune que dans les autres communes de la côte. L'individualité des vins de Beaune a aussi été noyée sous le poids du nom de la ville, exactement à l'opposé des vins de Chambertin, par exemple, dont la renommée a précédé celle du petit village situé au pied des vignes et qui porte le nom de Gevrey. Dans le cas de Beaune, la réputation de la ville a pris le pas sur celle de ses « climats ».

Beaune et ses environs

Encore de nos jours, Beaune présente bien des aspects d'une ville moyenâgeuse; encerclée de remparts, dont subsistent de bien beaux restes soigneusement restaurés, la cité continue de se protéger de l'ennemi moderne des citadins : l'automobile. Tournant autour de ses bastions de pierre comme des hordes qui cherchent à pénétrer la citadelle, les automobilistes sont finalement obligés de laisser leurs carrosses à l'extérieur et de s'infiltrer dans la ville à pied par l'une des multiples portes qui percent les remparts, entre échauguettes et tourelles. Beaune se visite aisément à pied car le centre-ville est petit et les rues sont étroites et pleines de charme. Elles portent souvent des noms issus d'une lointaine époque qui mêlait foi et vin pour décrire le quotidien : la rue d'Enfer n'est pas loin de la rue du Paradis, tandis que Beaune-la-Vineuse côtoie la rue des Tonneliers. Ces évocations du temps passé, mais qui reste bien vivant aujourd'hui dans les bureaux des maisons de négoce qui jalonnent la ville, sont pour beaucoup dans l'émotion qu'un amateur de vin peut ressentir en parcourant la ville. On a envie de parler, comme Proust, du « bonheur qu'on éprouve à se promener dans une ville comme Beaune».

Jouxtant Beaune, avec ses belles maisons de vigneron, le petit village de Pommard, dont le nom est célèbre sur les grandes tables du monde entier.

Au cœur de la cité, l'hôtel-Dieu

Les images de cette ville, avec les restes du château, les remparts et le toit multicolore de l'hôtel-Dieu, sont devenues des symboles de la Bourgogne entière. S'il ne faut visiter qu'un seul monument en Bourgogne, c'est bien le bâtiment de l'hôtel-Dieu, siège des Hospices de Beaune. Pour y accéder, il suffit de suivre des yeux la pointe de son clocher gothique, ou bien demander l'Office de tourisme dont les bureaux se trouvent en face de l'entrée. Fondé en 1443, à une époque où les épidémies et les guerres ont tant fait souffrir le peuple que même les plus riches s'en sont émus, l'hôtel-Dieu est l'œuvre du chancelier des ducs de Bourgogne, Nicolas Rolin, et de sa femme, Gigogne de Salins. Le roi de France Louis XI, peut-être jaloux, en tout cas cynique, aurait dit de ce don extravagant : « Il était bien juste que celui qui avait fait tant de pauvres pendant sa vie leur préparât un asile avant de mourir.» Bien plus tard, et peut-être influencé par Stendhal, Viollet-le-Duc dira que « cet hôpital donne envie de tomber malade à Beaune ». Le bâtiment est de style gothique flamboyant, style qui régnait alors sur tout le duché de Bourgogne, et plus particulièrement dans le nord. Le principal ensemble de bâtiments, donnant sur la rue, a été terminé en 1451, et si l'aspect extérieur possède l'austérité de l'époque qui sied à une œuvre caritative, l'intérieur dévoile

Ci-dessus, l'ancien hôtel-Dieu abrite les célèbres Hospices de Beaune. Ci-dessous, la salle des « Pôvres » de l'ancien hôpital.

La structure médiévale du centre de Beaune, avec son marché couvert et les Hospices.

toute la richesse de style et de matières propres à cette région, où se mêlent les influences architecturales du nord de l'Europe et de l'Europe centrale. Aujourd'hui, l'hôtel-Dieu abrite un riche musée de meubles et de tapisseries dont la vedette incontestée est ce chef-d'œuvre de la peinture Renaissance du Nord qu'est *le Jugement Dernier* de Rogier Van der Weyden.

En face de l'hôtel-Dieu, l'impressionnant marché couvert abrite non seulement l'Office du tourisme et la meilleure librairie de France, spécialisée dans le vin, mais aussi, une fois par an, la célèbre vente aux enchères des vins des Hospices de Beaune. Les vins, vendus chaque année au mois de novembre, sont issus de vignobles qui, à travers les siècles, ont été légués par leurs propriétaires aux Hospices, et dont l'hôpital actuel tire encore la majeure partie de ses revenus.

Beaune et ses environs

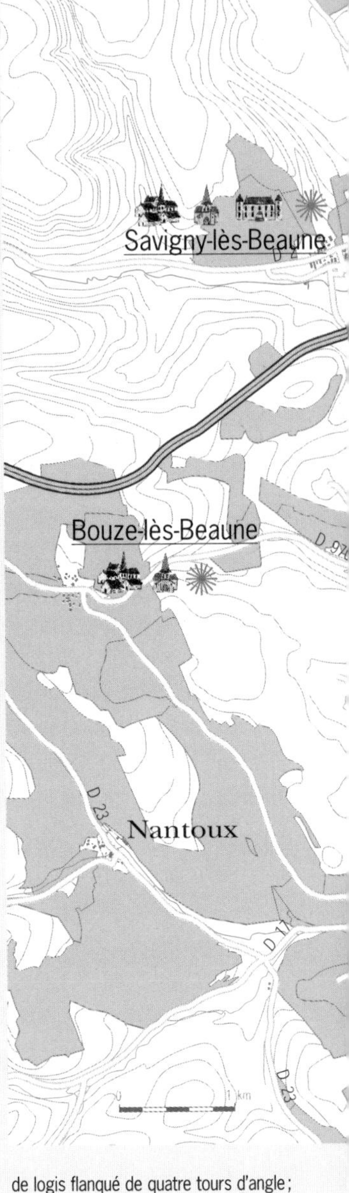

• **Beaune** :
- l'hôtel-Dieu (xve siècle), sans doute le plus célèbre des édifices beaunois, accueille chaque année les ventes des Hospices et abrite un musée de meubles, de tapisseries et de peinture ;
- la collégiale Notre-Dame, édifiée au xiie siècle, a été remaniée à plusieurs reprises ;
- l'hôtel des ducs de Bourgogne, beau monument gothique, est le siège du musée du Vin de Bourgogne ;
- la Maison des vins de Bourgogne propose des information sur les vins de la région.

• **La route du vignoble** : entre Beaune et Bouze-lès-Beaune, la D970 traverse le vignoble et en offre un vaste panorama ponctué par Le mont Battois, point culminant de la côte ; appelé localement « Montagne de Beaune », c'est à la fois un lieu de résidence et de promenade.

• **Bouze-lès-Beaune** et ses environs :
- à l'ouest du village Le pas de Saint-Martin est une formation géologique insolite en forme d'empreinte, que la légende attribue à saint Martin ;
- nombreux témoignages préhistoriques : site du Châtelet Camp, tumulus de la Commelle et Cistes des Chaumes, formées de pierres plates assemblées et plantées à la verticale ;
- l'église, du xve siècle, renferme de belles statues polychromes

• **Chorey-lès-Beaune** :
- le château du xviie siècle avec ses deux tours et le cœur roman de l'église.

• **Savigny-lès-Beaune** :
Le château de Savigny, reconstruit au xviie siècle, est formé d'un corps de logis flanqué de quatre tours d'angle ;
- l'église Saint-Cassien, remarquable par son architecture et son décor intérieur ;
- à voir également, le Petit Château et le manoir de Nicolay des xviie et xviiie siècles.

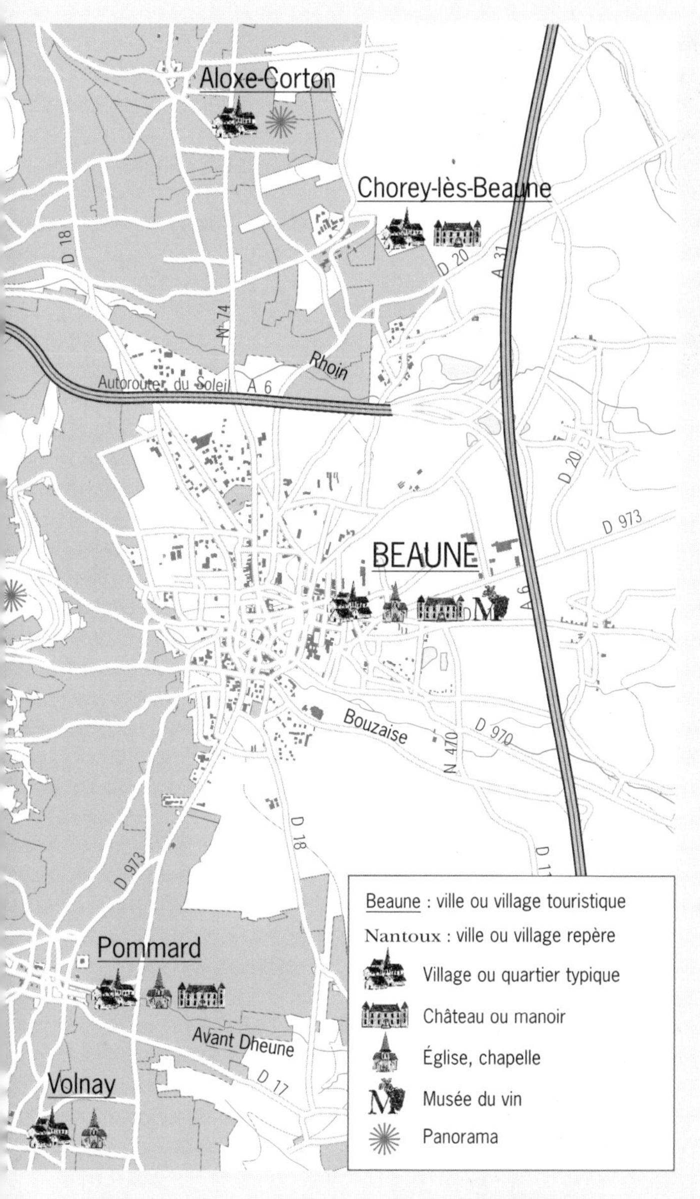

• **Pommard** :
- le château de Commaraine (XIVe siècle) et ses vestiges du château médiéval;
- une belle église à clocher carré possède quelques belles statues et des panneaux peints des XVe et XVIe siècles;
- de beaux exemples d'architecture traditionnelle vigneronne;
- le château de Pommard, un peu à l'écart du village et blotti dans un bosquet.

Des remparts au vignoble

À cinq minutes à pied se trouvent la collégiale Notre-Dame et l'hôtel des ducs de Bourgogne, dont une partie abrite un très intéressant musée du Vin de Bourgogne. Hormis un survol en montgolfière – l'une des possibilités touristiques de la région –, la carte en relief du vignoble de la côte d'Or qui y est exposée permet de se rendre compte des particularités topographiques de ce terroir unique.

Ci-dessus, la vente aux enchères des Hospices de Beaune se fait à la bougie selon le principe de l'extinction des trois feux.
Ci-dessous, l'hôtel des ducs de Bourgogne, qu'ils occupèrent jusqu'au XIVe siècle et qui abrite aujourd'hui le musée du Vin de Bourgogne.

Après avoir exploré le centre historique de Beaune et admiré ses multiples maisons Renaissance, la visite des remparts s'impose. Le meilleur point de départ se trouve presque en face de la gare, à l'emplacement de l'ancien château de Beaune occupé par une des plus anciennes maisons de vin de Beaune, Bouchard Père et Fils. Le château, à l'origine construit en forme de pentagone, a été partiellement démantelé sur ordre d'Henri IV à la suite des guerres de Religions. Il est aujourd'hui traversé par une rue, mais ses caves légendaires en occupent encore toute la surface, à deux étages sous terre.

En tournant à droite, à pied, en quittant la rue du Château, on peut voir, dans le bastion Sainte-Anne, une échauguette qui date de 1637. Un peu plus loin, la Grosse

La collégiale Notre-Dame jouxte l'hôtel des ducs de Bourgogne. Elle fut édifiée au XIIe siècle, mais connut bien des remaniements successifs.

Tour constitue les restes d'une des quatre tours qui, à l'origine, jalonnaient les remparts. Le bastion de l'hôtel-Dieu abrite une salle des Cordeliers qui renferme une splendide voûte ogivale et, presque en face, se trouve la Maison des vins de Bourgogne, siège du Comité interprofessionnel des vins de toute la région. Ici, on peut se renseigner sur tous les aspects du vin de Bourgogne, suivre des cours et participer à des circuits de découverte du vignoble.

En prenant ensuite la rue Maufoux, à droite, on regagne le centre de Beaune et la collégiale Notre-

Le village d'Aloxe-Corton, au pied de la colline de Corton, produit le seul vin de Bourgogne classé Grand Cru, à la fois en rouge et en blanc.

Dame, mais on n'aura fait qu'un tiers du tour complet de la ville.

Pour découvrir le vignoble de Beaune, il faut prendre la route de la « montagne », par la D970 en direction de Bouze-lès-Beaune et Arnay-le-Duc. Cette route coupe les vignes de l'appellation en deux parties, perpendiculairement à la côte. Une petite marche le long de la route permet de découvrir les particularités de ce vignoble.

L'ascension de la côte

À la sortie de la ville, un réservoir qui alimentait autrefois les douves entourant les fortifications de la ville capte la plupart des eaux qui jaillissent le long de la côte, grâce à l'action de la « dalle nacrée » et de ses marnes. La parcelle de vignes située juste au-dessus s'appelle « les Teurons » et ce nom proviendrait du mot celte *turno*, désignant une éminence. Au-dessus des Teurons, et vers le nord, la plus grande parcelle, celles des Grèves, indique la nature de son sol dont le nom est issu du bas latin *grava*, qui a donné « graviers » – ou cailloux fins. Le mont Battois, appelé localement « Montagne de Beaune », est le point culminant de la côte.

La confrérie des chevaliers du Tastevin

La Bourgogne, terre de vignes et de monastères, a vu naître au fil des siècles de nombreuses confréries et commanderies.
En 1934, était créée la confrérie des chevaliers du Tastevin, en souvenir de ses aînées peu à peu tombées dans l'oubli. Dans un contexte économique alors difficile, la Confrérie se donnait comme objectif de défendre et promouvoir les vins de Bourgogne qui souffraient d'une mévente chronique.
Au lendemain de la guerre, elle acquiert le château du Clos-Vougeot, devenu théâtre principal de ses cérémonies. L'année est ponctuée de nombreux chapitres où sont conviées, autour des chevaliers, des personnalités issues de tout pays et de tous horizons : chapitre de Printemps, d'Été, d'Automne, d'Équinoxe, des Roses, de la Saint-Vincent, de la Saint-Hubert, etc.
Depuis 1938, on célèbre une Saint-Vincent tournante, c'est-à-dire que la fête du saint patron des vignerons se déroule chaque année dans un village différent, confirmant la vocation œcuménique de la confrérie en Bourgogne.
Les autres temps forts de la confrérie sont marqués par les « Trois Glorieuses » qui ont lieu le troisième week-end de novembre. La première est célébrée au château du Clos-Vougeot, la deuxième aux Hospices de Beaune pour la célèbre vente de charité et la troisième à Meursault pour la paulée, c'est-à-dire le repas qui marquait autrefois la fin des vendanges, et où chaque convive apporte ses propres bouteilles.
Le tastevinage est une estampille du Tastevin délivrée par la confrérie à tous les vins de qualité répondant aux caractéristiques de leur appellation. Un premier tastevinage a lieu en septembre pour les vins blancs de Bourgogne, puis un second au printemps pour les vins rouges.

En continuant par la D970, on atteint Bouze-lès-Beaune où quelques curiosités locales nous attendent. À l'ouest du village, au-dessus de la combe de Mandelot, le pas de Saint-Martin est un lieu de légende : inscrite en creux dans le rocher, une forme de pied serait une hypothétique trace du passage de saint Martin. À côté se dresse le châtelet préhistorique de Bouze-lès-Beaune, protégé par un mur cyclopéen. D'autres vestiges d'un riche passé abondent dans les environs comme le tumulus de la Commelle ou les Cistes des Chaumes, formées de pierres plates assemblées et plantées à la verticale. L'église du village, du XVe siècle, renferme les statues polychromes de saint Étienne et de l'incontournable saint Vincent, patron des vignerons.

De Savigny à Chorey-lès-Beaune

Un peu plus au nord, se dresse l'imposant village de Savigny-lès-Beaune et son château bâti vers 1340 pour le duc Eudes, puis démantelé et reconstruit au XVIIe siècle. Des mâchicoulis ornent encore deux de ses quatre tours d'angle. L'église Saint-Cassien, richement décorée, possède un transept d'origine et un cœur magnifique du XVe siècle.

Le château de Savigny, construit au XVIIe siècle, présente une collection d'automobiles et de motos anciennes.

En revenant vers l'est, on rejoint la petite commune de Chorey-lès-Beaune qui veille sur un vignoble encore méconnu. Ce village d'à peine six cents âmes peut s'enorgueillir d'un beau château du XVIIe siècle flanqué de deux tours circulaires à meurtrières et d'une église qui a conservé un joli chœur

Le village de Savigny, entouré de vignes, se niche au creux des collines environnantes.

roman. Entre les deux, se trouve le village d'Aloxe-Corton, au pied de la colline de Corton, qui abrite le seul vignoble de la Bourgogne classé Grand Cru à la fois pour son vin rouge et son vin blanc.

Au sud, Pommard et Volnay

On ne saurait faire une promenade dans la région sans un détour vers les petites communes du Sud que leurs prestigieux vignobles ont rendues célèbres. Les vins des villages de Pommard et de Volnay figurent depuis bien longtemps sur les cartes des grandes tables du monde entier et pourtant la population cumulée de ces villages ne dépasse pas les mille habitants.

Pommard renferme quelques beaux exemples d'architecture civile, comme ces vieilles maisons de vignerons ou le château de Commaraine qui a conservé quelques vestiges du XIVe siècle. On s'arrêtera également devant l'église et son clocher carré.

Jouxtant Pommard au sud, Volnay, installé à flanc de coteau, se remarque surtout par ses belles maisons anciennes et une église du XIVe siècle surmontée d'un clocher carré.

L'appellation Beaune et ses terroirs

Le vignoble de Beaune se situe à l'ouest de la route nationale 74 qui traverse la ville, et encercle toute la ville à l'ouest. Comme c'est le cas pour toutes les appellations villageoises de la côte de Beaune et de la côte de Nuits, il grimpe ensuite la colline qui surplombe la ville au nord-ouest, suivant une dénivelée d'environ cent mètres. Le point culminant de cette côte est ici le mont Battois, nommé localement «la Montagne», mais la vigne s'arrête bien avant la ligne de crête qui sépare la côte – orientée est / sud-est – du plateau rocheux qui entoure ce monticule.

Un vignoble à Savigny-lès-Beaune et sa cabotte – abri de vigneron traditionnel – couverte de lauzes de calcaire.

L'aire d'appellation Beaune

Cette barre rocheuse qui émerge au-dessus de la bande étroite consacrée à la culture de la vigne est très caractéristique de toute la côte d'Or, entre Dijon et Santenay. Elle est largement boisée et forme une sorte de plateau. Cette constitution de roches calcaires dures forme le bastion oriental du massif du Morvan avant la faille qui a provoqué, il y a des millions d'années, l'affaissement de la plaine de la Saône. L'aire d'appellation Beaune comprend cinq cent vingt-cinq hectares, dont environ deux tiers sont classés en Premier Cru. Une proportion très élevée, qui s'explique partiellement par le fait qu'aucune parcelle de

Les terroirs de Beaune

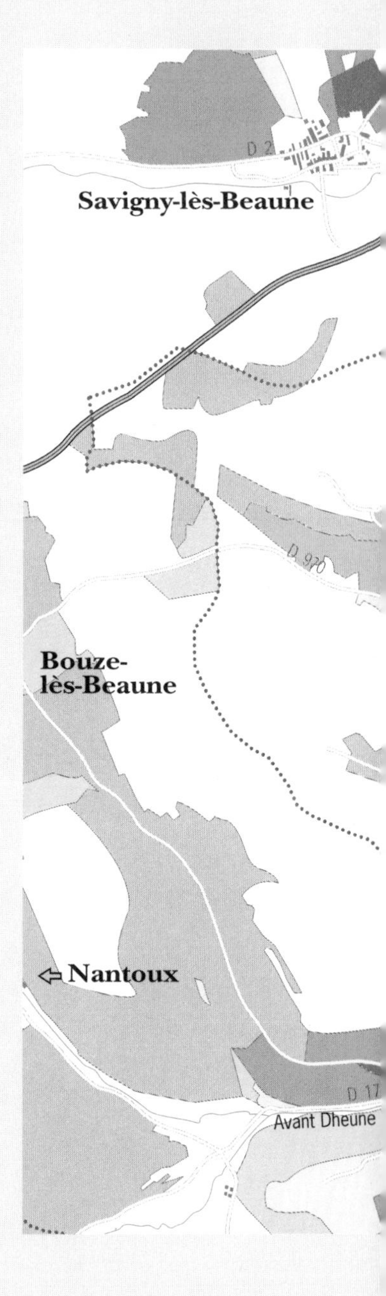

Le vignoble de Beaune s'inscrit dans la lignée des appellations communales de la côte de Beaune, qui s'étend de Ladoix au nord à Maranges au sud. Bordé au nord par Savigny-lès-Beaune, et au sud par Pommard, Beaune se trouve être la commune de la côte d'Or avec la plus forte proportion de son vignoble classé en Premier Cru (en rouge sur la carte). Ces Premiers Crus, qui peuvent bénéficier d'une quarantaine de noms spécifiques de lieux-dits, se trouvent sur la partie pentue du vignoble qui longe la ville de Beaune à l'ouest. Ils couvrent plus de 75 % de l'aire de l'appellation Beaune, qui, avec 400 hectares, est la plus grande des appellations de la côte de Beaune, suivant de près Gevrey-Chambertin sur la côte de Nuits.

Sur le plan de l'influence du terroir, autrement dit de l'ensemble des variations apportées à la vigne par un milieu naturel spécifique, l'altitude et l'orientation de chaque parcelle jouent un rôle aussi important, sinon plus, que la nature du sol. Dans ce camaïeu complexe de détails, le drainage est évidemment capital, comme l'est l'influence du vent pour déterminer l'état sanitaire des raisins. D'une manière générale, les meilleures parcelles se trouvent vers le milieu de la pente, mais une telle généralisation ne tient pas compte de toutes ces variables déjà citées qui peuvent modifier la donne. On ne doit pas non plus négliger le rôle de l'homme qui, par son travail de valorisation de telle ou telle parcelle, année après année, a porté au sommet sa renommée.

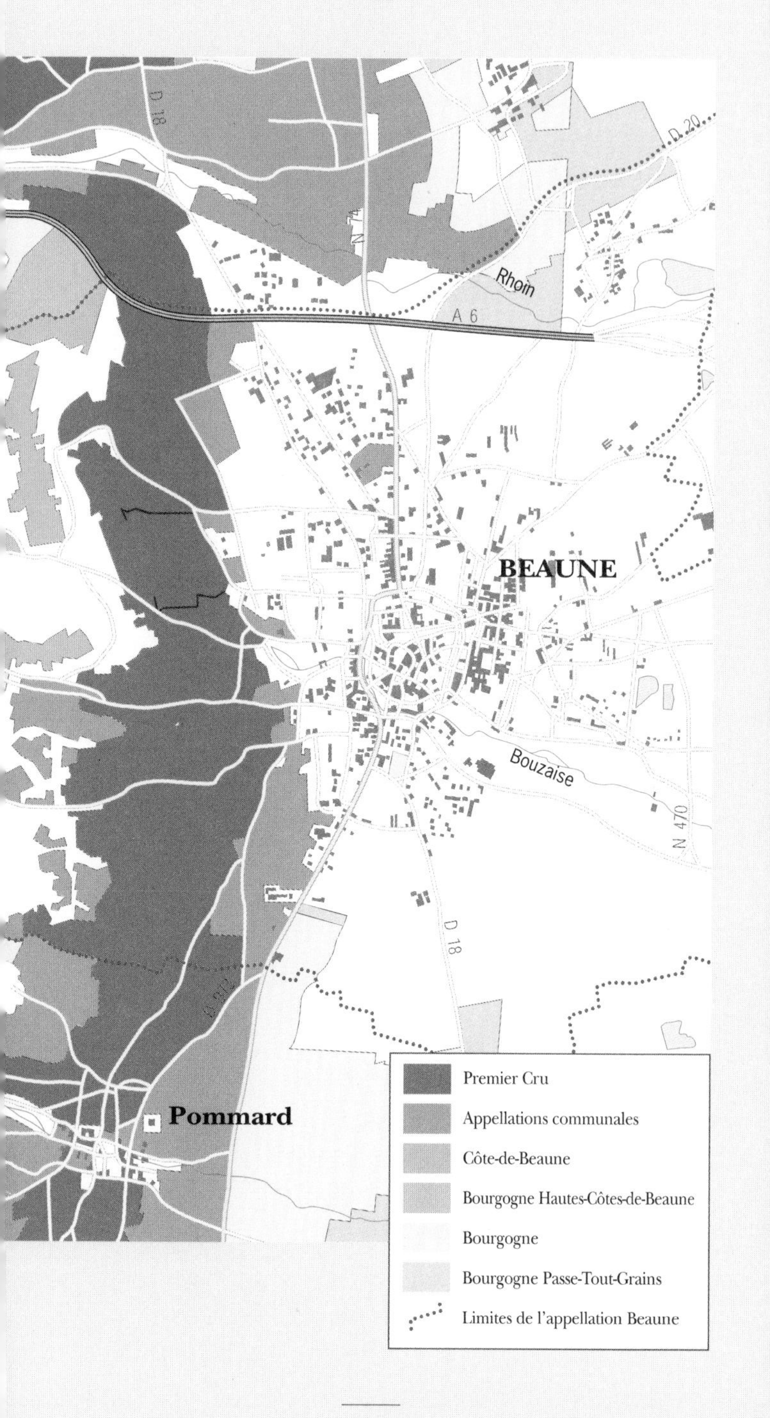
D 18
N 74
D 20
Rhoin
A 6
BEAUNE
Bouzaise
N 470
D 18
Pommard
Premier Cru
Appellations communales
Côte-de-Beaune
Bourgogne Hautes-Côtes-de-Beaune
Bourgogne
Bourgogne Passe-Tout-Grains
Limites de l'appellation Beaune

Beaune n'a été classée en Grand Cru, mais aussi par un peu de tolérance dans le classement ! Ces Premiers Crus sont divisés en parcelles, de superficies variables, qui portent, chacune, le nom de leur lieu-dit. Elles se situent sur une bande de terre à mi-coteau, tandis que les parties inférieures et supérieures de la côte sont généralement classées en appellation Beaune.

Quelques parcelles supplémentaires situées au-dessus des premières et détachées du coteau, où les raisins mûrissent plus tardivement, bénéficient d'une appellation distincte : Côte-de-Beaune. Comme les choses ne sont jamais simples en Bourgogne, il ne faut pas confondre cette petite appellation avec celle, plus « générique », de Côtes-de-Beaune-Villages, qui permet l'assemblage de vins issus de toute la côte de Beaune.

Les sols du vignoble

Les sols de l'appellation varient selon quatre principaux facteurs : leur relative profondeur, leur situation sur la côte, la nature de leur sous-sol et leur plus ou moins grande proximité par rapport aux extrémités de l'appellation, Pommard au sud et de Savigny-lès-Beaune au nord.

La partie supérieure de la pente renferme une quantité plus importante de calcaire – essentiellement des cailloux – que le pied qui, au contraire, est plus riche en argile. Des phénomènes d'érosion expliquent aisément ce phénomène, mais la réalité est bien plus complexe, comme souvent le long de la côte d'Or. La pente

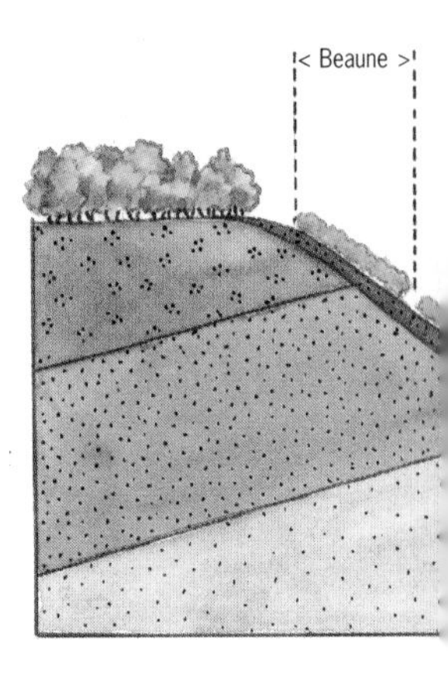

qui surplombe la commune de Beaune est formée des mêmes strates géologiques que la colline de Corton, juste au nord, mais à Beaune, le coteau comporte davantage de calcaire dans sa partie supérieure. Cet affleurement de la roche nue, dans une partie en forte pente, rend problématique tout type de culture, même pour une plante aussi résistante que la vigne. C'est pourquoi, de nos jours, ces terrains ne sont plus consacrés à la culture de la vigne. Les ceps s'étendent vers le bas à partir du tiers supérieur de la pente, et viennent buter contre les murs de la ville. Seules quelques parcelles en hauteur, sur des sols décidément trop pauvres, et la partie la plus basse, située sur des terres riches et trop fertiles, ne bénéficient pas de classement en Premier Cru.

Cette coupe schématique est réalisée à la hauteur du terroir des Grèves, en plein cœur du vignoble de Beaune. Les deux tiers du vignoble de Beaune sont classés en Premier Cru, mais il n'y a aucun Grand Cru. Les lieux-dits ou « climats » de Premier Cru se situent essentiellement sur la partie centrale de la côte, à l'instar du reste du vignoble de la Côte-d'Or. La terre, maigre en haut de la côte, devient très fertile en bas, et donc moins propice à produire de grands vins.

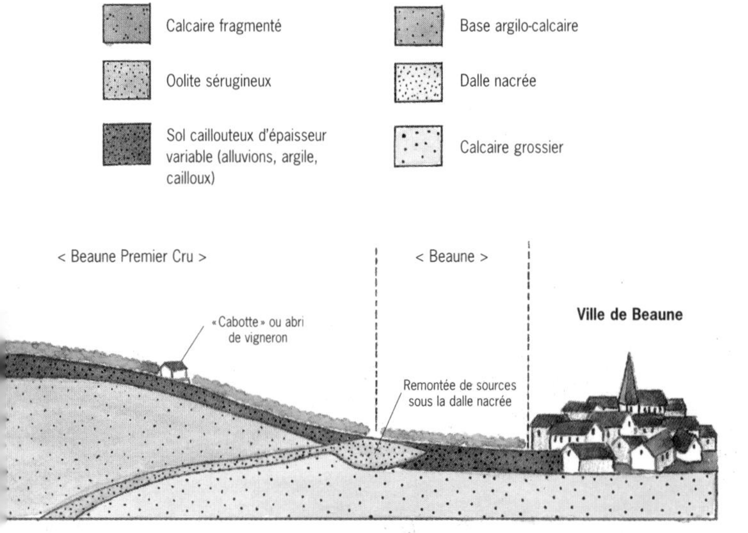

La dalle nacrée

Au pied de la pente, en dessous du climat appelé « Grèves », affleure une formation géologique que l'on appelle « dalle nacrée ». Elle est sous-tendue par une couche de marnes, peu perméable, ce qui provoque une arrivée des eaux infiltrées dans la roche de la partie calcaire, plus perméable, qui se trouve au-dessus. C'est un système de drainage naturel qui autrefois alimentait les douves entourant la ville de Beaune.

Les « climats » en Premier Cru

Les Premiers Crus sont constitués de quarante et un « climats » – c'est-à-dire lieux-dits – différents, dont les plus célèbres aujourd'hui sont probablement les Grèves, les Bressandes, le Champimonts, le Clos des Mouches, les Cent Vignes, les Marconnets et les Teurons. La superficie de ces climats varie beaucoup, la plus importante étant celle des Grèves avec plus de trente hectares. Étant donné la complexité de la structure des sols liée ici au phénomène des pentes et des orientations variables, le caractère des vins issus des Grèves, par exemple, est loin d'être homogène. Les Cent Vignes et le Clos des Mouches sont également des climats dont la superficie dépasse vingt-cinq hectares, et où des différences importantes se constatent d'une parcelle

Les Premiers Crus de beaune sont issus de 41 « climats », ou lieux-dits, différents.

Une vigne à Ladoix-Serrigny, qui forme l'extrémité nord de la côte de Beaune.

à l'autre. À l'extrême, des climats comme les Fèves ou Aux Cras ne dépassent pas les cinq hectares.

Comme partout sur la côte, les propriétés sont très morcelées, ce qui rend encore plus difficile de strictes comparaisons entre les vins issus des différents climats. Quelques lieux spécifiques ont toujours eu la réputation de produire des vins supérieurs aux autres. L'exemple le plus célèbre est certainement la parcelle appelée Vigne de l'Enfant Jésus, d'un peu moins de quatre hectares, et qui se trouve au cœur des Grèves, dont elle fait partie. Un autre climat célèbre, le Clos des Mouches, bien plus vaste, doit peut-être une partie de sa réputation à son nom. Il est situé aux confins de la commune de

Pommard, et ses « mouches » sont en fait des abeilles qui seraient attirées par les sucres que l'exposition favorable de la parcelle concentre précocement dans les raisins de ce lieu-dit.

Des orientations déterminantes

Il est également possible de classer les terroirs de Beaune entre les climats du Nord, qui se rapprochent plus ou moins de Savigny, et ceux du Sud, proches de Pommard. Cette division correspondrait approximativement au découpage effectué par la route de Bouze-lès-Beaune qui traverse le vignoble perpendiculairement à la pente, séparant le vignoble en deux parties pratiquement égales. Il se trouve que cette division correspond aussi à un changement d'orientation de la côte : au nord de la route, hormis le versant du Cras, qui tourne autour du mont Battois et s'oriente sud / sud-est, la vigne regarde essentiellement vers l'est, alors que, à cause d'un léger recul de la crête, la partie qui se trouve vers Pommard possède une orientation sud et sud-est. C'est peut-être autant à cette différence d'orientation qu'à un changement dans la nature des sols qu'il faut attribuer les différents caractères des vins issus de ces deux secteurs. On dit souvent que les vins des parcelles proches de Pommard possèdent le volume et la rondeur des vins de cette appellation, encore que certains pommards peuvent être très tanniques. Par opposition, on dit aussi que les vins des parcelles proches de Savigny, comme les Marconnets, par exemple, ont plus d'austérité et plus de finesse. Tout cela est cohérent car le vignoble est plus frais et moins bien exposé, mais ne perdons pas de vue que ces différences de style sont tout autant l'expression des choix effectués par les vignerons en matière de viticulture et de vinification.

L'histoire du classement

Le premier classement des parcelles de la côte d'Or, en 1861, s'est inspiré très largement des travaux du docteur Lavalle, publiés en 1855. À cette époque, bon nombre de climats de la côte d'Or, à Beaune comme ailleurs, ont été divisés en « première, deuxième et troisième catégories ». Des « simplifications administratives » ont ensuite réduit ces catégories à une seule, hormis le cas des Grands Crus qui est inexistant à Beaune, peut-être parce que les propriétaires d'alors ne voulaient pas payer les taxes foncières plus importantes que ce classement impliquait. La simplification est admirable lorsqu'elle s'applique aux formalités administratives, mais elle l'est nettement moins s'agissant d'une analyse précise des qualités de terroirs. Cela dit, aucune autre région viticole au monde n'a été aussi loin que la Bourgogne dans le long et difficile travail d'analyse des phénomènes naturels qui président à l'élaboration d'un grand vin : en un mot, le concept du terroir.

La colline du Corton, avec la forêt qui la coiffe, est visible depuis Beaune.

La vigne et le vin à Beaune

La vigne est, à l'état naturel, une plante généreuse à la croissance rapide et anarchique. Pour en tirer des fruits exploitables pour la production de vins fins, il faut la juguler et la contraindre. Mais cela a un prix : des heures de travail et d'observation, qui amènent chaque vigneron à revenir sur un même pied jusqu'à quatorze fois par an. Le calendrier des travaux de la vigne ne laisse que très peu de repos au viticulteur.

Le cycle de la vigne

Le cycle annuel de la vigne commence dès les vendanges terminées, point culminant de l'année viticole. On entame alors les travaux destinés à préparer le remplacement des ceps malades ou trop âgés en arrachant les pieds de vigne et en défonçant le sol à une profondeur de quarante à cinquante centimètres. Dans le cas du remplacement d'un pied, on pratique un trou à l'aide d'une tarière. En automne et en hiver, on répare également les murs de terrassement et on améliore le drainage. En hiver, la vigne est en période de somnolence et les collines qui surplombent Beaune semblent dénudées, en apparence dépourvues de vie. Mais pour le viticulteur c'est déjà l'heure de préparer la récolte future. Des travaux de prétaille ont lieu en novembre et décembre et, dès janvier, on prépare à nouveau le sol puis, à la fin du mois de février, c'est le moment de procéder à la taille.

La taille du pinot noir

De manière générale, la plupart des techniques viticoles utilisées dans les grands vignobles tendent à maîtriser la quantité de raisins portée par chaque cep, afin d'en améliorer la qualité. Les terrains pauvres de la côte de Beaune produisent naturellement des quantités mesurées. Mais l'homme doit accompagner la vigne, naturellement vigoureuse, en la contraignant davantage. Le pinot noir, largement majoritaire dans l'appellation Beaune, est un cépage particulièrement sensible aux excès de rendement. Il est donc planté à forte densité, afin de contraindre chaque pied à aller chercher sustentation au plus loin. La taille, aussi pénible soit-elle, est une étape essentielle dans la quête du rendement limité. La tradition bourguignonne veut que l'on attende la Saint-Vincent, le 22 janvier, pour commencer à tailler. C'est une opération très importante et délicate qui nécessite expérience et coup d'œil. En Côte-d'Or, la méthode de taille la plus employée est appelée Guyot, du nom du docteur Guyot qui l'a répandue au XIXe siècle. Le cep est maintenu assez bas, et deux rameaux seulement sont conservés chaque année. L'un, appelé « baguette », est coudé à environ quarante centimètres du sol, fixé horizontalement le long d'un fil de fer et taillé a environ six yeux qui porteront les branches fructifères de l'année. L'autre rameau, appelé « courson », est choisi parmi ceux situés de l'autre côté du pied et taillé à deux yeux d'où naîtront les branches de remplacement l'année suivante.

On emploie aussi la taille en cordon de Royat qui consiste à conduire la vigne sur un seul rameau partant du pied, couché horizontalement et sur lequel on laisse au maximum quatre coursons taillés chacun à deux yeux.

Les cépages de l'appellation Beaune

Le pinot noir

Parmi tous les grands cépages dits « nobles », le pinot noir est sans doute le plus rétif au déracinement et l'un des plus exigeants. Présent en Bourgogne depuis le XIVe siècle au moins, il a derrière lui près de sept cents ans d'acclimatation, ce qui a laissé aux hommes le temps de le comprendre, et aux généticiens de le manipuler puisqu'il en existe actuellement de très nombreux clones. Ce cépage demeure pourtant très délicat et les excès en tout genre, dus à la nature comme à l'homme, pèsent comme une menace constante : le gel de printemps, les pluies et les grandes chaleurs estivales, mais également la fraîcheur automnale qui peut l'empêcher de mûrir. En outre, il reste très sensible aux maladies.

Que d'inconvénients ! On se demande parfois pourquoi tant de vignerons à travers le monde le regardent un peu comme le Graal sacré... Jusqu'au moment où l'on tombe à genoux devant un grand vin de pinot noir !

Les feuilles sont de petite taille et épaisses, les grappes menues et serrées. Les baies apparaissent compactes, dures, d'une teinte foncée, presque violette.

Leur peau est particulièrement épaisse et riche en couleur.

Le pinot noir supporte mal les forts rendements; malgré tout, certains vignerons s'entêtent à vouloir dépasser le seuil qualitatif d'environ 45 hl/ha.

On ne peut réduire ce cépage à une seule expression, tant sa personnalité dépend du traitement que le vigneron lui inflige. Il peut apparaître léger et souple ou, au contraire, complexe et structuré.

Sa gamme aromatique est large, du fruit rouge, comme la cerise, à des arômes presque animaux.

À son apogée, il présente une incomparable profondeur de texture veloutée.

Le chardonnay

Cet autre grand cépage bourguignon connaît un destin tout autre que le pinot noir. Très en vogue, dans le monde entier, et extrêmement adaptable, il a colonisé tous les continents et se pose aujourd'hui comme l'un des cépages « nobles » les plus répandus et les plus appréciés. Connu autrefois en France sous les appellations variées de melon, petite Sainte-Marie, arboisier, luisant et bien d'autres encore, il nous serait parvenu d'Afghanistan, avant de trouver une terre d'élection dans toute la Bourgogne et même un peu plus au nord, en Champagne, mais cette origine n'a jamais été prouvée. En tout cas, un village de Bourgogne, dans le Mâconnais, a été baptisé du même nom.

Les feuilles du chardonnay sont de taille moyenne, larges et plutôt sphériques, d'une teinte vert clair. Ses grappes sont relativement petites et aérées, ce qui permet de limiter le développement de la pourriture grise.

À maturité, les baies ont une belle couleur légèrement ambrée. Sa précocité, pour le bourgeonnement comme pour la maturation, lui permet de s'adapter à des climats frais, mais présente aussi l'inconvénient de le rendre vulnérable aux gelées du printemps. Il trouve, sur la côte d'Or, des terroirs calcaires à sa mesure où il développe des arômes très caractéristiques de fruits jaunes et secs, de beurre, de miel, de grillé et même de vanille s'il subit un élevage en fût neuf.

En fonction des choix effectués par le vinificateur, il pourra être vif et fruité, à boire jeune, ou ample et plus structuré, taillé pour une garde supérieure à dix ans.

Les travaux de printemps

À partir de la fin mars, la vigne sort doucement de sa léthargie. Le long du bras, les bourgeons s'ouvrent et les rameaux peuvent entamer leur croissance. Cet éveil lent que l'on appelle « débourrement » se fait à un rythme qui variera en fonction des conditions climatiques de l'année, mais la période est toujours critique car les jeunes pousses sont fragiles et ne résisteraient pas au gel. Pour les vignerons qui labourent leurs sols, une technique culturale qui revient à la mode, c'est aussi le moment de débuter les vignes, c'est-à-dire dégager les ceps de la motte de terre qui les recouvre depuis l'entrée en hiver. Cela permet aussi d'enfouir des engrais et de détruire les mauvaises herbes.

Le printemps est pour le vigneron une période d'intense activité. Il procède, le cas échéant, à des nouvelles plantations et doit veiller au bon ordonnancement de son vignoble. Les ceps sont disposés en rangs serrés avec un écartement entre chaque rangée d'environ un mètre, la même distance séparant chaque pied. Les densités de plantation atteignent souvent dix mille pieds à l'hectare et, avec une telle affluence, chaque pied doit lutter pour survivre et déployer ses racines toujours plus profondément afin de puiser sa nourriture. Le recours aux fumures est peu fréquent, et l'on privilégie les engrais verts ou animaux.

Pour faciliter l'entretien de la vigne, les plantes sont palissées sur des fils de fer tendus entre des pieux. Le relevage et l'accolage sont des opérations pratiquées à intervalles réguliers pendant la saison de pousse et destinées à rentrer ou attacher les rameaux de l'année, dégageant le passage entre les rangs et favorisant l'aération et l'exposition des grappes. Tout au long de la saison de pousse, le vigneron doit rester attentif aux accidents climatiques et aux attaques des parasites végétaux et animaux qui se plaisent dans l'atmosphère humide du printemps. Dès avril, on procède aux premiers traitements qui se poursuivront jusqu'en juillet.

Floraison, nouaison, véraison et maturité sont les principales étapes du cycle de la vigne.

Cinq à dix semaines après le débourrement, apparaît la discrète floraison, presque imperceptible, les fleurs étant vertes et de petite taille. Pourtant il s'agit de l'un des moments clés de la saison, car un excès d'humidité ou de froid peut gravement diminuer la récolte finale. Les petites fleurs ne tardent pas à s'ouvrir et libèrent les pollens qui viennent fertiliser les ovules : c'est la nouaison, l'étape qui marque le passage de la

Les travaux de la vigne à Beaune

novembre-décembre	• Chute des feuilles du cycle précédent. • Labours d'hiver et prétaille. • Préparation des nouvelles plantations.
janvier	• Période de repos de la vigne.
février-mars	• Période de taille, qui s'étend sur plusieurs semaines. Apport d'engrais et labours.
avril	• Débourrement de la vigne ou éclosion des bourgeons. • Vers la fin du mois, premiers palissages. • Début des traitements contre les maladies et parasites. • Plantations des nouveaux vignobles.
mai	• Désherbage, poursuite des traitements et palissage. • Épamprage, par lequel on supprime les rameaux improductifs.
juin	• Floraison, suivie vers la fin du mois de la nouaison qui marque le passage de la fleur au fruit.
juillet	• Croissance des baies, éventuellement vendanges en vert.
août	• Rognage et effeuillage. • Aoûtement de la plante puis véraison des raisins qui changent de couleur et entament leur maturation.
septembre-octobre	• Les vendanges interviennent généralement 100 jours après la floraison, en tout cas lorsque le raisin a atteint un bon équilibre entre sucre et acidité, avec, pour les raisins rouges, une maturité des tannins.

Calendrier de la vinification à Beaune

Première année	Automne/hiver	Après les vendanges, les raisins sont acheminés jusqu'au chais. Les rouges sont souvent éraflés, bien que certains propriétaires préfèrent conserver une partie ou la totalité de la rafle. Un foulage précède la mise en cuve. Les blancs sont directement pressurés. Sous l'action des levures, la fermentation alcoolique peut débuter. On laisse les rouges « cuver » jusqu'à 10 jours avec remontages ou pigeages plus ou moins fréquents. Les blancs fermentent pendant deux à trois semaines, à basse température, au cours desquelles on peut procéder à des bâtonnages pour les vins fermentés en barriques. Après fermentation et macération, on pratique le décuvage pour les vins rouges. On recueille le vin de goutte et, par pressurage, le vin « de presse ». Les jus sont stockés en cuve ou en fût pour la fermentation malolactique. Ils sont ensuite soutirés et sulfités pour les protéger de l'oxydation. Pour homogénéiser les lots, un assemblage des cuves ou barriques précédera la phase d'élevage.
	Printemps/été	L'élevage se poursuit au printemps et en été, généralement en barriques. Cette phase sera ponctuée de nombreuses interventions qui visent à clarifier le vin et à combler par l'ouillage les poches d'air qui se forment à la surface des barriques. Certains vinificateurs préfèrent n'intervenir qu'au strict minimum au cours de l'élevage et s'assurent seulement de l'ouillage. De fréquentes dégustations permettent de suivre l'évolution des vins.
Deuxième et troisième années		Alors qu'un nouveau cycle de vinification est entamé à partir de l'automne, l'élevage des vins de l'année précédente se poursuit. Les rouges séjournent rarement plus de 18 mois en barriques, les grands vins blancs un an au plus. Avant la mise en bouteilles et le prolongement du vieillissement, on procède généralement à une filtration pour stabiliser les vins et leur donner une parfaite limpidité. On peut préférer la procédure du collage qui entraîne les particules en suspension au fond de la barrique. Les bourgognes rouges étant des vins sensibles, on s'efforcera d'en limiter la manipulation. Dans ce cas, la mise en bouteilles pourra, par exemple, être effectuée par simple gravité. Elle a lieu, le plus souvent, au printemps ou à l'automne.

fleur à la baie. Une partie des fleurs non fécondées tombe naturellement, mais si leur proportion est trop importante, on parlera de coulure. Le vigneron intervient souvent lors de ces phases déterminantes de la floraison et de la nouaison et, plusieurs semaines après le débourrement, il s'est livré à l'épamprage, qui consiste à supprimer les jeunes rameaux inutiles, puis au rognage, par lequel on ôte les plus jeunes pousses.

L'été dans les vignes

Les petites baies entament à présent leur croissance. Le vigneron peut couper une partie des grappes pour faciliter l'épanouissement des autres si sa vigne semble trop chargée. On appelle cela les vendanges en vert. Vers le début du mois d'août, les raisins gagnent en volume, se ramollissent et changent de couleur : c'est la véraison, ultime étape avant la maturation. Cette phase est plus marquée pour les raisins rouges du pinot noir, qui changent complètement de couleur, que pour le chardonnay, cépage blanc chez qui l'évolution semble moins spectaculaire. La véraison marque un changement physiologique des baies qui perdent leur chlorophylle et accumulent les sucres et les composés phénoliques et aromatiques. Le mois d'août, avec ses fortes chaleurs, va permettre un bon mûrissement du fruit, que le vigneron peut optimiser en effeuillant autour des grappes afin d'accroître l'exposition des raisins au soleil.

La période des vendanges

Alors que l'on avance dans le mois de septembre et que le raisin parvient à un bon degré de maturité, arrive la délicate période des vendanges. Plusieurs facteurs entrent en ligne de compte dans leur déclen-

Ces paniers de vendange d'autrefois, remplis de grappes de pinot noir, ne sont plus beaucoup utilisés ; les caisses en plastique les ont remplacés.

chement : la quantité de raisins que l'on veut obtenir, leur qualité mais aussi le type de vin que l'on désire produire. À ce stade, on craint les accidents climatiques comme de fortes pluies ou des grêles précoces. On se tient prêt, le cas échéant, à « rentrer » les raisins en quelques heures.

Les chardonnays se vendangent, en général, avant les pinots noirs et le choix entre vendanges manuelles ou mécaniques est du ressort du propriétaire. On a longtemps diabolisé la machine à vendanger, mais son utilisation scrupuleuse donne aujourd'hui d'excellents résultats, bien que les plus méticuleux des vinificateurs préfèrent toujours recevoir une vendange effectuée à la main. Elle permet sans doute une meilleure sélection des grappes, pour peu que le vendangeur soit expérimenté, mais elle est moins souple et moins rapide.

La vinification du beaune rouge

À la fin du mois de septembre, la nature a rendu son verdict et c'est désormais au vinificateur de prendre le relais. Il doit prendre la mesure du raisin récolté et lui administrer un traitement en conséquence car il n'y a pas de recette miraculeuse qui permette de reproduire à l'identique le vin de l'année précédente.

Des bacs de pinot noir attendent le foulage et la mise en cuve.

Chaque domaine a son style, qu'il tente de perpétuer avec les nuances propres à chaque nouvelle année. On ne vinifie pas aujourd'hui comme il y a cinquante ans, les techniques ont évolué grâce au décryptage toujours plus poussé du « comportement » du vin, matière vivante, mais aussi en fonction des modes et du désir du consommateur.

Une fois vendangés, les raisins sont rapidement acheminés jusqu'aux chais. Dans certains cas, afin de parfaire la sélection, on les dispose sur une table de tri afin d'écarter les grains les plus abîmés ou les moins mûrs, lorsque cela n'a pas déjà été fait dans le vignoble, ou l'on procède à l'égrappage, une technique qui permet de réduire l'astringence du vin en écartant la partie ligneuse de la grappe.

Le foulage, ensuite, permet d'éclater chaque baie et

Savoir lire une étiquette de beaune

Beaune bénéficie d'un système d'appellation relativement simple dans lequel on trouve deux catégories principales d'appellation : appellation « Beaune contrôlée » et appellation « Beaune Premier Cru », plus une troisième appellation un peu marginale, « Côte-de-Beaune ».
Dans le cas d'un beaune Premier Cru, cette mention peut être éventuellement suivie du nom de l'un des quarante et un « climats » classés en Premier Cru, et à condition que ce vin ne soit pas le fruit d'un assemblage entre différents « climats » de Premiers Crus.
Outre l'appellation, qui doit obligatoirement figurer sur l'étiquette, la législation impose d'indiquer la teneur en alcool, le volume de vin contenu dans la bouteille et le lieu d'embouteillage.
La mention « mis en bouteilles au domaine » signifie que le vin a été mis en bouteilles sur le lieu de production.
Les maisons de négoce étant très présentes sur la place de Beaune, on verra souvent figurer « mis en bouteilles par Untel », ce qui signifie que la bouteille contient du vin acheté par le négociant mentionné. Mais les grandes maisons beaunoises sont également propriétaires de vignobles dans l'appellation et le vin peut alors provenir de leurs propres vignes.
Le millésime, bien que facultatif, est systématiquement indiqué et signifie que le vin est entièrement issu de la récolte de l'année mentionnée.
L'aspect graphique des étiquettes de Beaune a tendance à suivre la tradition bourguignonne aux présentations parcheminées et aux caractères gothiques. On aime ou pas, mais une modernisation est en cours dans cette région viticole parmi les plus traditionnelles de France, et de plus en plus d'étiquettes de Beaune soignent leur apparence avec élégance.

libère les jus. Les moûts sont ensuite déposés dans une cuve ouverte pour y subir les phases de fermentation et de macération qui ne peuvent être dissociées. La fermentation est la transformation du sucre en alcool sous l'action des levures qui se trouvent à l'état naturel sur la peau des raisins ou que l'on ajoute sous forme de culture. Puisque les levures indigènes font partie des éléments qui différencient les vins issus de parcelles voisines, à Beaune, on a tendance à privilégier la fermentation naturelle, comme d'ailleurs dans toute la côte d'Or. La fermentation est un processus spectaculaire qu'il convient de surveiller pour éviter tout accident ou interruption. Le dégagement de gaz carbonique provoque un bouillonnement intense et pousse les parties solides, le chapeau, essentiellement composé des peaux de raisins, à la surface de la cuve. Pour augmenter l'extraction de couleur et de saveurs contenues dans la peau de chaque baie, on ne se contente pas de laisser liquide et solide en couches superposées, on les mélange régulièrement soit en enfonçant le chapeau dans le liquide, soit en « remontant » le jus en fermentation afin d'en « arroser » le chapeau. Le but de ces manœuvres, plus ou moins fréquentes, est d'intensifier le contact entre jus et peau afin de favoriser l'extraction des matières tanniques et aromatiques. La durée de cuvaison est fonction de la qualité du raisin et du style de vin produit; à Beaune, il se situe en général entre six et dix jours. Cette phase achevée, on recueille, par un robinet situé en bas de la cuve, un jus clair, ou vin de goutte, qui sera plus tard assemblé au vin de presse, que l'on obtient après décuvage en pressant le marc, et qui est particulièrement dense en tannins et en couleur.

Enfin, le vin subit une ultime et indispensable transformation sous forme d'une seconde fermentation, dite malolactique, qui abaisse son niveau d'acidité par transformation de l'acide malique en acide lactique.

L'élevage

Après soutirage, et éventuellement sulfitage qui protège le vin de l'oxydation et des altérations microbiennes, on procède aux assemblages entre les différents lots d'un même vin.

Le choix de la méthode d'élevage dépendra, une fois de plus, du style de vin que l'on désire produire. L'élevage traditionnel en barriques est très répandu en Bourgogne, mais il est réservé aux vins dont la belle matière est assez dense pour soutenir ce traitement. La durée du séjour en barriques variera selon le choix du vigneron, mais durera entre six et dix-huit mois pour la plupart des vins de Beaune. Le bois apporte des arômes qui se combinent à la personnalité des vins, mais il joue également un rôle fondamental dans l'échange entre le vin et l'oxygène, qui contribue grandement à la qualité du vieillissement. Pendant l'élevage, on pratique une surveillance et des interventions régulières pour assurer la stabilité du vin : soutirages, ouillages et méchages. En fin de parcours,

Les belles caves des Hospices de Beaune proposent tous les ans, au mois de novembre, une dégustation des vins de l'année.

quelques semaines avant la mise en bouteilles, on peut coller ou filtrer le vin, afin de le débarrasser des matières en suspension qui pourraient gêner le consommateur, mais la tendance actuelle est d'alléger ces interventions afin de conserver le plus possible de matière naturelle dans le vin.

La mise en bouteilles, si elle constitue la dernière tâche du vigneron, doit se faire dans des conditions d'hygiène parfaite. Elle n'est que l'ultime étape vers un vieillissement qui peut se prolonger des années, et il est possible de gâcher tout le travail effectué jusque là par une négligence lors de la mise en bouteilles.

La vinification du beaune blanc

La cueillette des raisins blancs est peut-être encore plus délicate que celle des rouges, car ils sont plus vulnérables à l'oxydation. C'est pourquoi on pratique essentiellement une vendange manuelle suivie d'un acheminement rapide jusqu'au pressoir. Puisqu'il n'y a pas de recherche de couleur, comme dans le cas des raisins rouges, on presse le chardonnay directement à son arrivée au chai, et le jus est aussitôt mis en barriques ou en cuves, pour sa phase de fermentation.

La fermentation en barrique est couramment pratiquée pour les blancs de Beaune, elle a tendance à leur conférer davantage de richesse et de complexité. Mais une fermentation en cuve suivie d'un passage en barrique, ou en cuve, où le vin achèvera sa fermentation malolactique, est également pratiquée.

L'élevage, ensuite, se pratique également soit en barrique soit en cuve, ou utilise successivement les deux contenants. La fin du processus est identique à celle des vins rouges, mais la durée du séjour en barrique a tendance à être plus courte pour les blancs.

AUTOUR D'UN VIN

Beaune

[Beaune · Côte-de-Beaune · Beaune Premier Cru]

Sa dégustation

Le goût des vins de Beaune

Le vin de Beaune est, de nos jours, majoritairement rouge. Il n'en a pas toujours été ainsi car, au siècle dernier, au moins la moitié de la production de cette appellation était vinifiée en blanc. Si nous remontons plus loin dans le temps, on trouve des allusions à la légèreté des vins de Beaune qui laissent penser que l'essentiel de ses vins étaient blancs ou même rosés, car on n'hésitait pas alors à mélanger raisins blancs et raisins rouges dans les cuviers. La législation sur les appellations contrôlées, dans les années trente, a fait cesser ces pratiques ancestrales en séparant scrupuleusement vins blancs et vins rouges, et le marché a fait le reste en intensifiant progressivement la demande de vins rouges de Beaune.

Les beaunes rouges

Les beaunes rouges sont élaborés à partir du cépage pinot noir dont on trouve des traces en Bourgogne depuis le XVe siècle au moins, sous divers noms parmi lesquels « pinot droit ». Faisant partie de la côte de Beaune, les vins rouges de cette commune ont un caractère plus proche de ceux de leurs voisins situés dans sa partie méridionale, comme Pommard, Volnay, Aloxe ou Savigny, que de ceux des vins rouges de la côte de Nuits, souvent plus profonds en couleur comme en goût. Mais cette généralité cache bien des différences entre les parcelles de la commune de Beaune, comme entre les vinifications effectuées par les dizaines de vignerons ou de négociants qui se partagent le territoire. Les vins produits vers le nord de l'appellation, vers Savigny-lès-Beaune, sont souvent décrits comme ayant la nervosité et la fermeté des savignys. Leurs cousins du Sud se rapprochent, dans la même logique, du caractère plus charnu et massif des pommards.

Quelles que soient les nuances dues à un terroir spécifique, ou à différentes options de viticulture ou de vinification, la principale caractéristique d'un bourgogne rouge est sa texture incroyablement suave et veloutée. Pour celui ou celle qui l'a déjà ressentie, cette sensation, d'une succulence et d'une rare sensualité, est inoubliable. Elle est tissée autour d'un fruité très pur et de tannins plutôt discrets qui travaillent surtout sur la longueur du vin et qui sont complètement intégrés à son corps. Cette matière soyeuse est tout sauf lourde. On entend, ici et là, que les vins rouges de Bourgogne sont des vins lourds, rien n'est plus éloigné de la vérité pour ce qui concerne les bons crus de beaune. Mais ils n'ont pas non plus l'apparence de liquides frêles et « flottards » ! C'est un équilibre qui semble parfaitement naturel entre tous ces éléments qui signent le grand vin de Beaune.

Les beaunes blancs

Les rares vins blancs de Beaune allient vivacité et rondeur, dans un style qui est plus à rapprocher des pulignys que des meursaults, mais ils sont si peu nombreux aujourd'hui qu'il est bien difficile de généraliser, tellement les options de culture et de vinification adoptées par chaque vigneron influent sur le cépage chardonnay.

Les arômes des beaunes

Nos commentaires ne sont que des généralités, qui indiquent une gamme typique de familles d'arômes que l'on peut trouver dans les vins de cette appellation, sans prétention d'exhaustivité ni de très grande précision.

Vins rouges

Arômes de type végétal
Dans les vins rouges de Beaune, ces arômes constituent plutôt un défaut, en tout cas un manque de maturité.

Arômes de type fruité
À son apogée, le pinot noir possède un fruité d'une pureté extraordinaire. On pourrait évoquer toute une gamme de fruits rouges, parfois noirs aussi.

Arômes de type floral
Peut-être la violette, ou l'iris, mais qui connaît bien ces arômes? Ce sont souvent des mots que l'on utilise sans réellement les rattacher à des sensations vécues.

Arômes de type épicé
Des jeunes pinots noirs issus de climats frais, comme celui de Beaune, peuvent apparaître assez poivrés dans leur jeunesse, surtout lorsque la vigne ne produit pas trop. D'autres arômes d'épices sont plutôt le fait d'un élevage sous bois.

Arômes de type empyreumatique
Le bois de la barrique, lorsque celui-ci est bien toasté, va fournir des arômes de grillé, parfois de goudron.

Arômes de type boisé
Lorsqu'il s'agit de chêne, ces arômes proviennent de l'élevage en barrique. Mais on peut déceler des notes légèrement boisées dans des jeunes vins de Beaune qui n'ont que peu séjourné en barrique. Avec le temps, ces arômes évoluent vers le sous-bois en se combinant au fruit.

Arômes de type minéral
Des jeunes pinots noirs sur le terroir de Beaune peuvent dévoiler un aspect «pointu» par leur nez qui rappelle le fer ou l'acier, voire le rocher. Ce ne sont que des images, bien entendu, mais cela peut fonctionner pour certains.

Arômes de type animal
On a souvent entendu à propos de bourgogne rouge : «Cela sent la m…» Ce n'est pas une comparaison très engageante, et les excès d'animalité de certains de ces vins sont plutôt le fait d'une mauvaise hygiène vinicole que d'un caractère propre au pinot noir. Cela dit, après quelques années de vieillissement en bouteille, des beaunes rouges peuvent acquérir des arômes qui rappellent la viande et le gibier.

Vins blancs

Arômes de type végétal
Des arômes d'herbe, voire de tilleul, se font sentir régulièrement dans certains blancs de Beaune.

Arômes de type fruité
Dans les années de grande maturité, à Beaune, le fruit du chardonnay peut être assez riche et balaie alors un spectre d'arômes de fruits blancs et de fruits jaunes. Dans les années un peu moins mûres, ou chez des vignerons qui récoltent plus tôt, l'accent fruité sera davantage celui des agrumes.

Arômes de type floral
Des fleurs blanches de toutes sortes peuvent se trouver dans ces vins. On croit distinguer le chèvrefeuille dans les vins jeunes, mais quelle variété !
En fait cette odeur rappelle le miel de fleurs du printemps.

Arômes de type épicé
Ces arômes sont principalement le fait d'un élevage, voire d'une fermentation en barriques, surtout si celles-ci sont neuves. Ils couvrent le registre des épices douces, spécialement la vanille.

Arômes de type empyreumatique
Même remarque que pour les épices, mais cela dépend du degré de brûlage des barriques. En version légère, cela donne des arômes plaisants de pain grillé,

qui arrivent de toute façon avec le vieillissement du vin. En version lourde, cela peut friser l'écœurement.

Arômes de type boisé
Voir les remarques ci-dessus pour l'emploi de la barrique et son influence. Une barrique bien utilisée ne devrait transmettre aucun arôme de bois au vin, mais révéler toute une gamme d'éléments complexes par l'interaction entre le vin et un peu d'oxygène.

Arômes de type minéral
Dans leur jeunesse, les blancs de Beaune peuvent, surtout dans des années fraîches, se rapprocher des chablis par leurs notes qui rappellent la pierre à fusil.

Les mots de la dégustation

Agressif : toute sensation qui paraît excessive, particulièrement l'acidité ou l'astringence.

Aigre : une acidité qui frise le goût du vinaigre.

Alcooleux : riche en alcool, donnant une sensation chaleureuse.

Amer : l'amertume se perçoit sur le fond de la langue. Elle est souvent, mais pas nécessairement, associée à la sensation astringente apportée par les tannins.

Ample : qui emplit bien la bouche, donnant une sensation de volume, voire de luxuriance.

Anguleux : une sensation donnée par un vin dont les tannins se détachent nettement des autres sensations.

Aqueux : sans consistance, donnant une impression de dilution.

Astringent : rugueux, avec des tannins agressifs.

Austère : vin réservé ou qui semble retenu dans son expression.

Bouchonné : qui a un goût de bouchon provoqué par un défaut du liège. L'odeur ou le goût de bouchon rappellent le bois moisi.

Capiteux : riche en alcool.

Chaleureux : qui dégage en bouche une sensation de chaleur, généralement due à l'alcool.

Charnu : qui a du corps (fait de fruit et/ou de tannins mûrs) et qui emplit la bouche.

Charpenté : donnant une impression de matière construite.

Corsé : riche en alcool, et/ou en tannins.

Court : dont les sensations en bouche disparaissent rapidement.

Décharné : trop maigre, dilué ou court.

Doux : qui donne une sensation de douceur en bouche.

Dur : qui apparaît trop ferme par ses excès de tannins et/ou d'acidité.

Épais : grossier et massif en bouche.

Épanoui : dont le bouquet emplit bien la bouche, donnant une sensation harmonieuse.

Équilibré : possédant de bonnes proportions, où tous les éléments se conjuguent.

Éteint : qui a perdu ses caractéristiques originelles, par l'âge ou un mauvais stockage.

Étoffé : ample et charpenté.

Fade : sans goût et sans caractère.

Ferme : aux caractéristiques soutenues mais sans souplesse.

Fermé : se dit d'un vin dont le bouquet disparaît momentanément lors de son vieillissement.

Fondu : souple et peu astringent, généralement dû au vieillissement.

Frais : donnant une impression de jeune fruit, désaltérant mais sans excès de vivacité.

Franc : avec une netteté dans l'expression des arômes et saveurs. Absence de défaut.

Fruité : au goût de fruit prononcé.

Généreux : corsé, riche en alcool.

Gras : riche en alcool, parfois en sucre, charnu et onctueux.

Léger : pauvre en alcool et en structure.

Long : dont les sensations en bouche demeurent longtemps.

Lourd : trop riche en alcool, manquant d'acidité.

Madérisé : oxydé, dont le bouquet évoque le vin de Madère.

Maigre : trop faible en alcool, sans caractère.

Mordant : ayant une acidité excessive.

Mou : plat, sans corps, qui manque d'acidité.

Nerveux : ayant une acidité bien présente.

Neutre : au caractère plat, sans saveur particulière.

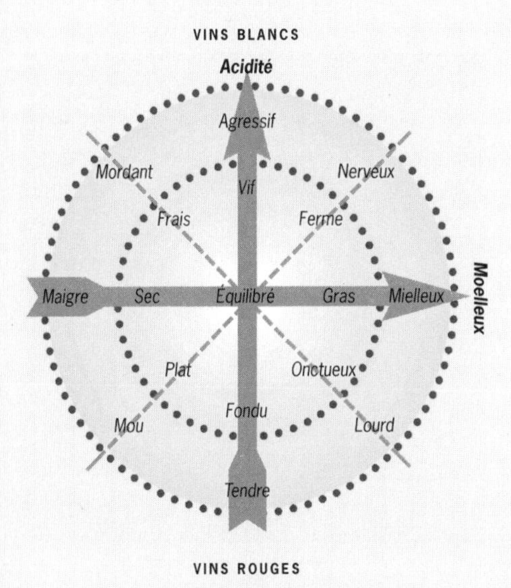

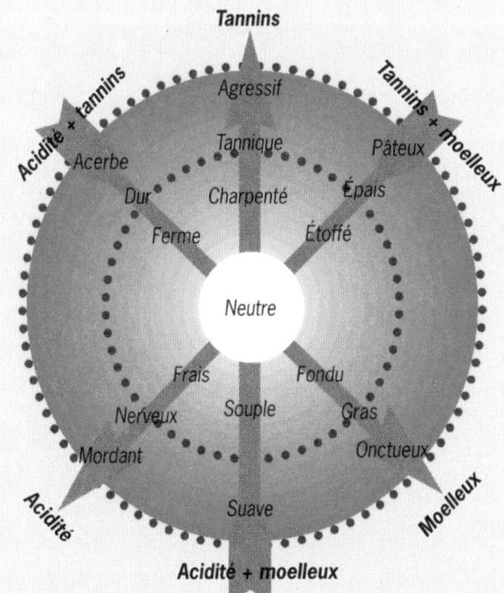

Onctueux : qui glisse bien en bouche, généralement gras et charnu.

Pâteux : lourd et épais, avec un excès de sucre.

Picotant : qui picote la bouche, à cause d'une présence de gaz carbonique.

Piquant : la saveur piquante annonce sa transformation en vinaigre.

Plat : sans corps, manque d'acidité, ou d'alcool.

Plein : qui emplit bien la bouche, qui a du corps.

Puissant : corsé et expressif, au caractère généreux.

Raide : acerbe et vert, ou bien austère et tannique.

Rond : souple et charnu.

Rude : à l'astringence, ou à l'acidité trop prononcée.

Sain : sans défaut.

Séveux : au bouquet généreux et aux saveurs soutenues.

Solide : corsé, et riche en alcool, parfois un peu trop astringent.

Souple : qui glisse bien en bouche, peu tannique et peu acide.

Suave : à la texture soyeuse ou veloutée.

Tannique : qui contient des tannins.

Tendre : souple et léger, qui se boit aisément.

Terne : sans caractère affirmé.

Usé : qui a perdu son bouquet et une partie de ses saveurs lors du vieillissement.

Velouté : souple et onctueux, généralement un peu moelleux.

Vert : trop jeune ou provenant de raisins pas assez mûrs, ayant une acidité excessive ou des tannins pas mûrs.

Vif : frais, à l'acidité bien prononcée.

Vineux : riche en alcool.

Le service du beaune

Servir un vin n'est pas un acte anodin et beaucoup de grands vins sont dénaturés par le non-respect de quelques principes simples. Notre perception des arômes et des saveurs reste très sensible à la fois à la température de service d'un vin et à la forme du verre. Pour l'un comme pour l'autre, il faut veiller à respecter les quelques principes suivants qui préserveront l'intégrité aromatique et gustative du vin, autrement dit le plaisir qu'il procure.

La température

Les vins rouges de Beaune doivent être servis à une température d'environ 16 °C. Une trop grande fraîcheur masquerait les arômes tandis qu'un excès de chaleur alourdirait le vin en faisant ressortir l'alcool au détriment du fruit. Les vins blancs supportent davantage de fraîcheur et doivent être servis à une température comprise entre 8 et 10 °C.

Le débouchage

Les fabricants de tire-bouchons rivalisent aujourd'hui d'imagination pour créer le modèle révolutionnaire. Quelques-uns sont effectivement très réussis mais sont vendus à un prix supérieur aux meilleurs Premiers Crus de Beaune ! On restera donc fidèle au modèle traditionnel dont la spirale, dite « queue-decochon », sera suffisamment longue pour accrocher tout le bouchon.

Déboucher une bouteille quelques heures avant son service n'est d'aucune utilité. En revanche, il peut être intéressant de mettre à décanter le vin dans une carafe ; on veillera dans ce cas à faire s'écouler lentement le liquide le long de la paroi de la carafe. Des vins jeunes, encore fermés, trouveront là l'occasion de s'aérer et de s'épurer tandis que la mise en carafe de vieux millésimes permet de se débarrasser des dépôts qui se sont formés au fil des années. Mais, ces vins étant particulièrement fragiles, il faudra veiller à ne le faire qu'au dernier moment afin d'éviter une perte d'arômes dommageable. Dans le même souci, on prendra soin de reboucher une carafe contenant un millésime de vingt ans ou plus en attendant le service.

Le choix du verre

Un vin donnera sa pleine mesure dans un verre adapté. Le verre INAO a été conçu pour la dégustation, mais il convient également très bien à la table et se décline en plusieurs tailles. Il existe bien d'autres modèles tout aussi adaptés à la dégustation et, à l'heure du choix, il faudra être attentif à quelques points essentiels. Un bon verre doit être pourvu d'un pied porteur d'une jambe suffisamment longue pour éviter que la main ne soit en contact avec le calice. Celui-ci doit avoir une forme dite « en tulipe », large à la base puis resserré vers le buvant, ce qui favorise la concentration des arômes.

Le verre et la bouteille de beaune

Le verre et la bouteille dans les formes que nous leur connaissons actuellement apparaissent indissociablement liés au vin. Pourtant cette identification est relativement récente au regard de l'Histoire. Avant de domestiquer ce matériau fragile qu'est le verre et de lui imprimer des formes à la fois résistantes et pratiques, le vin a transité dans des amphores, des outres, des coupes, des gobelets ou des cornes à boire, sans parler du tonneau en bois qui est toujours largement employé pour une partie de son vieillissement. La bouteille a d'abord été un objet de décoration à la fois fragile et cher et il fallut attendre le XVIIe siècle pour que l'industrie du verre fasse de notables progrès. Plus solide qu'autrefois, et produite en quantité plus importante, la bouteille commence à s'imposer sur les tables d'Europe, comme en témoignent les nombreux tableaux de cette époque qui traitent des plaisirs de la table. Pourtant, jusque fort tard, les vins étaient conservés et transportés en fûts, puis mis en bouteilles par l'acquéreur. L'usage de la bouteille pour optimiser le vieillissement des vins ne s'est répandu qu'au XIXe siècle pour s'imposer définitivement au XXe siècle.
Les bouteilles, d'abord ventrues avec un col long, se sont ensuite affinées devant les nécessités du stockage et du transport, mais aussi grâce à l'évolution progressive des techniques d'élaboration.
Il existe actuellement en France deux principaux standards, le modèle « bordelais » et le modèle « bourguignon ». Ce dernier est bien entendu celui utilisé pour les vins de Beaune. Le fût de la bouteille est cylindrique et moyennement long, les épaules sont basses et douces et le fond peut être piqué, semi-piqué ou plat. La bouteille se décline en plusieurs gabarits et contenances, de la demi-bouteille (37,5 cl) au nabuchodonosor (1 500 cl, soit 20 bouteilles). Le standard est incarné par la bouteille de 75 cl. Le magnum (150 cl), dont les vertus sont pourtant reconnues pour le vieillissement, reste rare en Bourgogne. Le verre des bouteilles est ici d'une teinte feuilles-mortes, jaune-vert.

Le verre, comme la bouteille, ne s'est imposé comme contenant standard que tardivement. Aux gobelets, calices et coupes ont succédé progressivement, à partir des XVe et XVIe siècles, les verres à boire. Très travaillés, ornés d'incrustations diverses, ils étaient un signe de prestige social. Si de nombreux modèles continuent aujourd'hui à faire une large place à l'esthétisme et au raffinement, les modèles les plus adaptés à la dégustation sont généralement sobres et fonctionnels.

Le verre de dégustation classique, de type INAO, comporte une jambe relativement courte et un calice ovoïde resserré vers le haut. Mais on rencontre en Bourgogne des modèles plus spécifiques, comme cette forme presque en ballon, avec un calice très large et légèrement resserré vers le haut et un pied très court, ou encore de très grands modèles avec un haut pied et un ventre très arrondi.

Les accords du beaune

L'accord entre un vin et un plat est une chose complexe. Dans la plupart des plats coexistent plusieurs saveurs et différentes textures. Une sauce ou un légume d'accompagnement ne possède ni la même saveur ni la même texture que la viande (ou le poisson) que l'on pense être l'élément principal du plat. Le mode de cuisson peut causer la présence à la fois du croquant et du mou dans un même ingrédient. Les goûts de certains légumes, utilisés en accompagnement, ou servis avec le plat, peuvent totalement transformer le goût de l'aliment principal en introduisant une autre saveur. La texture, les épices ou la salinité d'une sauce masquent souvent entièrement le goût d'un mets. Alors que faire dans ce dédale ? D'abord prêter beaucoup d'attention aux sauces et aux accompagnements d'un plat, ensuite, tenir compte de la texture tout autant que de la saveur. Si un vin est tannique, le gras de certaines viandes ou la richesse d'une sauce vont « lisser » ses aspérités ; si, au contraire, un vin est très affiné par l'âge, le plat doit être au service de la subtilité du breuvage et non l'inverse, afin de permettre au vin de s'exprimer.

Les accords des beaunes blancs

Les vins blancs de Beaune ont généralement beaucoup de fraîcheur et un peu de gras. Ils peuvent donc constituer des compagnons parfaits pour des entrées ou des mets qui ont un peu de consistance et des saveurs relativement relevées. L'alliance locale traditionnelle serait la poêlée d'escargots, mais un beau poisson de rivière ou de mer serait aussi un excellent choix. Et n'hésitez pas à associer un beaune blanc avec des viandes blanches. Au moment des fromages, pensez plutôt aux blancs qu'aux rouges. En tout cas, attention aux fromages très forts et souvent crémeux de la région : un cîteaux ou un chambertin exigeront un beaune blanc Premier Cru assez jeune et encore vif. La texture crémeuse de ce type de fromage gommerait toute la subtilité d'un beaune rouge.

Les accords des beaunes rouges

Les vins rouges de Beaune sont souvent marqués par leur délicatesse de saveur, une texture fine, et un fond presque minéral. Lorsqu'ils sont jeunes, ils expriment des saveurs fruitées dans un registre de fraîcheur. Ils peuvent donc bien équilibrer des plats en sauce, mais il vaut mieux éviter des sauces trop épaisses, qui risqueraient d'étouffer le vin. Les plus délicats des rouges peuvent très bien accompagner des poissons savoureux. Si vous voulez boire un beaune rouge avec un fromage, choisissez des fromages à pâte pressée, pas trop forts en goût, qui laisseront au vin assez de place pour s'exprimer.

La viande blanche d'un lapin mijoté en cocotte se mariera parfaitement aux arômes d'un beaune blanc.

Poêlon d'escargots de Bourgogne à l'ail et aux noisettes

Marc Gantier, Le Caveau des Arches, Beaune

POUR 4 PERSONNES

4 douzaines d'escargots naturels
15 g d'ail haché
1 petite échalote hachée
5 g de sel, 2 cl de pastis
20 g de noisettes pilées
170 g de beurre
une poignée de persil
sel, poivre

Vin conseillé :
un beaune blanc Premier Cru

- À l'aide d'un robot, hacher très finement l'ail, l'échalote et le persil ; incorporer le beurre bien ramolli, le sel, le poivre et le pastis. Bien mélanger.
- Ajouter enfin les noisettes et mélanger à nouveau quelques secondes.
- Disposer les escargots dans des poêlons à 12 trous puis remplir avec le beurre à l'aide d'une petite cuillère.
- Cuire dans un four préchauffé à 200 °C pendant 7 à 8 minutes, afin que les escargots frémissent.

Langoustines rôties au lard, crème de coco et truffes de Bourgogne

Roland Chanliaud, Le Jardin des Remparts, Beaune

POUR 6 PERSONNES

1,4 kg de grosses langoustines
20 tranches très fines de poitrine fumée
4 dl de crème de coco
12 quartiers de tomates confites
quelques gouttes d'huile de truffe
1 truffe de Bourgogne de 50 g
4 pluches de persil
3 cl d'huile d'olive

Vin conseillé :
un beaune blanc Premier Cru, de 3 à 5 ans

- Décortiquer les langoustines en ne réservant que la chair de la queue.
- Assaisonner les queue de langoustines avec du poivre blanc et de très peu de sel (suivant la teneur en sel de la poitrine fumée).
- Rouler chaque langoustine dans une tranche de poitrine fumée. Tenir au chaud la crème de coco et les tomates confites.
- Laver, brosser, sécher et couper en fines lamelles la truffe de Bourgogne.
- Verser l'huile d'olive dans une poêle, puis y rissoler les queues de langoustines, de façon à colorer le lard, mais veiller à ne pas trop les cuire.
- Dresser la crème coco sur une assiette, disposer les queues de langoustines, les tomates confites, les lamelles de truffe, puis parsemer de pluches de persil et verser quelques gouttes d'huile de truffes.

Œufs en meurette

Christophe Eloi, Le Bistrot bourguignon, Beaune

POUR 6 PERSONNES

6 œufs
2 l de beaune rouge
6 grosses carottes
4 oignons
200 g de lardons fumés
150 g d'oignons grelots
150 g de champignons frais (de Paris ou rosés des prés)
fond de veau
pain grillé aillé
persil, poivre et sel

- Faire réduire le vin avec les carottes coupées en rondelles et les oignons émincés jusqu'à réduction de moitié.
- Pendant ce temps, faire blanchir les lardons, faire roussir dans du beurre les petits oignons grelots en ajoutant un peu de sucre en poudre.
- Passer le vin réduit pour ne garder que le liquide ; puis, sur feu doux, lier avec un peu de farine et une petite cuillère de fond de veau.
- Laisser bouillir jusqu'à consistance onctueuse, ajouter les lardons, les champignons et les oignons grelots.
- Pocher ensuite les œufs dans une casserole d'eau bouillante additionnée légèrement de sel, pendant 3 minutes seulement.
- Avec une écumoire, retirer les œufs et les placer dans des petits ramequins plats et verser aussitôt la sauce dessus.
- Ajouter une petite pincée de persil haché et un croûton de pain grillé aillé, poivre du moulin et sel à convenance ; servir.

Vin conseillé :
un beaune rouge de moins de 5 ans

Civet de langouste

Didier Banyols, Banyols et Banyols, Perpignan

POUR 4 PERSONNES

1 langouste de 2 kg
1 carotte
2 échalotes
1 bouquet garni
50 cl de rancio
ou de banyuls sec
50 cl de vin rouge
50 g de beurre
huile d'olive
sel, poivre

Vin conseillé :
un beaune blanc Premier Cru, mais on peut aussi tenter un beaune rouge délicat ou un côte-de-beaune

- Tronçonner la queue de la langouste en 8 morceaux et la tête en 4 morceaux en veillant surtout à récupérer le corail et les parties crémeuses de la tête.
- Éplucher la carotte, peler les échalotes et les couper en petits dés. Les faire revenir à l'huile d'olive dans une sauteuse ; puis saisir dans cette même sauteuse tous les morceaux de langouste.
- Verser le rancio (ou le banyuls) et le vin rouge et laisser mijoter à couvert pendant 20 minutes ; ajouter le bouquet garni.
- Retirer ensuite les morceaux de langouste et les disposer sur un plat de service.
- Réduire la sauce de moitié puis ajouter le corail, les parties crémeuses et le beurre tout en remuant énergiquement.
- Saler, poivrer et napper les morceaux de langouste avec cette sauce.

Blanc de turbot en écailles de pommes de terre et truffes blanches

Éric Frigo, Auberge des Trois Canards, Ognon

POUR 2 PERSONNES

180 g de filet de turbot
25 g de truffes blanches
150 g de pommes de terre BF 15 de taille régulière
20 g de petits oignons nouveaux
20 g de carottes
2 fleurs de courgette
20 cl de coulis de crustacés
5 cl de crème
150 g de beurre
5 cl d'huile d'arachide
20 g de mousse de poisson
5 g de morilles
1 pointe d'ail
quelques cl de jus de truffe
sel et poivre

Vin conseillé :
un beaune blanc Premier Cru

- Poêler doucement le filet de turbot dans du beurre clarifié en l'arrosant fréquemment ; une fois cuit, le disposer sur une feuille de papier absorbant pour ôter l'excédent de graisse.
- Émincer assez finement une truffe blanche de 20 g environ, ainsi que les deux pommes de terre que l'on fait rissoler légèrement au beurre.
- Couvrir le poisson avec les tranches de truffe et de pommes de terre en les juxtaposant de haut en bas comme des écailles.
- Cuire à la vapeur les petits oignons nouveaux et les petites carottes.
- Farcir les fleurs de courgette avec une fine mousse de poisson à laquelle on ajoutera les morilles hachées.
- Mélanger le coulis de crustacés et la crème en y incorporant le jus de truffe, puis monter au beurre et chauffer doucement.
- Tenir le poisson au chaud, au four, avec un papier aluminium posé dessus pour éviter qu'il ne sèche ; napper le fond de l'assiette chaude avec la sauce ; placer le poisson au centre et disposer les différentes garnitures autour avec harmonie.

Colvert rôti aux griottes et à l'estragon

Roland Chanliaud, Le Jardin des Remparts, Beaune

POUR 4 PERSONNES

2 canards colverts
60 griottes aigres-douces dénoyautées
10 cerises dénoyautées
1 bouquet d'estragon
80 g d'échalotes ciselées
1 dl de vin blanc
1 dl de jus de cerise au vinaigre
5 dl d'huile de pépins de raisin
50 g de beurre

- Plumer et vider le canard; le brider avec quelques branches d'estragon et assaisonner.
- Disposer le canard dans un plat à rôtir et le badigeonner d'huile.
- Commencer à le colorer sur un feu vif, puis terminer la cuisson dans un four préchauffé à 180 °C pendant 12 à 15 minutes; laisser reposer 5 minutes.
- Lever les filets et les cuisses; prolonger la cuisson des cuisses au four 5 minutes encore et réserver.
- Concasser les carcasses puis les colorer dans le plat de cuisson; dégraisser et ajouter l'échalote ciselée.
- Déglacer avec le jus de cerise au vinaigre et réduire à sec; renouveler avec le vin blanc, puis ajouter 1 l d'eau et cuire 10 minutes. Passer au chinois.
- Ajouter 10 cerises, quelques feuilles d'estragon, 30 g de beurre; mixer le tout et passer au chinois; vérifier l'assaisonnement.
- Réchauffer les filets et les cuisses de colvert au four.
- Chauffer les griottes avec le beurre restant.
- Dresser le canard, napper, parsemer de griottes et d'estragon.
- Servir avec des navets nouveaux cuits au beurre dans un peu d'eau tout simplement.

Vin conseillé :
un beaune rouge, de préférence Premier Cru, assez charpenté, d'au moins 5 ans d'âge

Estouffade de bœuf bourguignon aux pâtes fraîches

Marc Gantier, Le Caveau des Arches, Beaune

POUR 4 PERSONNES

1 kg de joue de bœuf
2 gros oignons, 2 carottes
1 bouquet garni (queue de persil, laurier, vert de poireau, 2 branches de thym)
1 gousse d'ail, gros sel
poivre du moulin
poivre blanc
2 l de vin de Bourgogne (à base de pinot noir)
1 cuil. à soupe de fond de veau
quelques gouttes d'arôme Patrelle
1 cuil. à soupe de farine
200 g de lardons
200 g de champignons de Paris frais
100 g de petits oignons blancs
beurre et huile

- Couper la joue de bœuf en 20 morceaux.
- Dans une cocotte, saisir et faire dorer les morceaux de viande avec une cuillère à soupe d'huile et un morceau de beurre ; saler et poivrer.
- Ajouter carottes et oignons coupés en rondelles, les faire dorer, incorporer la farine, puis remuer.
- Mouiller avec le vin, ajouter le fond de veau en poudre dilué dans un peu d'eau, l'arôme Patrelle, le bouquet garni et l'ail. Laisser mijoter pendant 2 heures.
- Pendant ce temps, blanchir les lardons, cuire les champignons et glacer les petits oignons blancs.
- Une fois la cuisson terminée, décanter la viande et passer la sauce au chinois ; ajouter les champignons, les lardons et les petits oignons dans la sauce ; réduire quelques minutes, afin de rectifier la consistance ; vérifier l'assaisonnement.
- Ajouter la viande et servir avec des tagliatelles fraîches passées au beurre.

Vin conseillé :
un beaune rouge Premier Cru, entre 5 et 10 ans d'âge

Le temps d'un beaune

Le pinot noir et le chardonnay sont des cépages qui peuvent s'exprimer de façon extrêmement variable en fonction des choix effectués par les vignerons, dans les vignes comme dans les chais. Aussi ne peut-on estimer le potentiel de vieillissement d'un vin de Beaune que si l'on connaît le style du producteur. On prêtera bien entendu l'oreille au millésime dont les caractéristiques peuvent inciter à boire les vins plus ou moins rapidement.

Les blancs, qui ne totalisent pas plus de dix pour cent de l'appellation, se comportent comme les autres blancs de la côte de Beaune de niveau équivalent. Un beaune Premier Cru blanc se boira entre deux et dix ans, sauf exception.

Les rouges sont à comparer aux vins de Volnay : un beaune « simple » est à boire entre trois et dix ans, tandis qu'un Premier Cru sera meilleur après une attente comprise entre cinq et quinze ans. Mais chaque millésime, et chaque producteur, ayant leurs caractères propres, le seul conseil valable est de goûter régulièrement votre vin et de vous laisser guider par vos papilles ! Quand un vin a très bon goût pour vous, il est bon de le boire.

De courte ou de longue garde, il demeure essentiel de s'assurer que votre vin bénéficie de conditions opti-

males de stockage. Tous les efforts d'un vigneron peuvent être réduits à néant par un passage en cave inadapté qui ferait prendre à vos bouteilles un sacré coup de vieux. Oublions donc ces placards coincés entre radiateur et réfrigérateur ; une bonne cave digne de ce nom doit être à température constante, entre 8 et 16 °C (idéalement à 11 °C) et à l'abri d'un brutal écart de température. Elle doit être suffisamment aérée et conserver un taux d'humidité d'environ 70 % pour éviter à la fois les odeurs de moisi et le dessèchement des bouchons. Les bouteilles doivent être conservées horizontalement, avec le moins de manipulation possible. Il existe aujourd'hui de nombreux modèles de caves, dites d'appartement, à la contenance variable, qui recréent des conditions de stockage idéales.

Les vins de Beaune, malgré une apparente délicatesse, vieillissent admirablement. 1949 fut un des plus grands millésimes du XXe siècle.

Les millésimes du beaune

Ces indications sont nécessairement des moyennes. Les capacités de garde d'un vin dépendent de nombreux facteurs, et particulièrement des conditions de stockage. Le niveau supérieur de la fourchette correspond aux meilleurs vins de l'appellation, vieillis dans de bonnes conditions. Il serait erroné de prendre comme indicateur infaillible, applicable à tous les vins d'une appellation, des valeurs qui ne sont que le reflet d'une moyenne théorique.
Les durées de garde se calculent toujours à partie de l'année du vin en question.

Les vins blancs de l'appellation peuvent se boire assez jeunes pour profiter de la délicatesse de leur fruité, presque toujours tendre, bien que certains, comme le plus célèbre d'entre eux, le clos des Mouches, peuvent bien attendre quelques années de plus. Les rouges de l'appellation Beaune peuvent se déguster au bout de deux ou trois ans, tandis qu'il vaut mieux attendre les rouges issus des Premiers Crus au moins cinq ans, et dix dans les bonnes années.

1985 ★★★ **B et R**
Souvent délicieux dans leur jeunesse, les rouges ne sont ni très puissants ni très concentrés. Les blancs se sont très bien conservés.

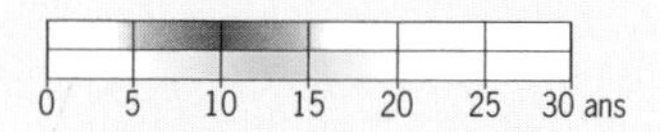

1988 ★★★★ **B et R**
Un peu fermes et austères dans leur jeunesse, les vins rouges ont une bonne structure de garde. Les blancs ont un peu le profil équivalent.

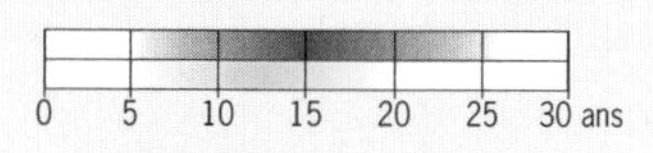

1989 ★★★ **B et R**
Les meilleurs blancs sont superbes, mais certains manquent d'acidité et sont un peu trop forts en alcool. Les rouges étaient tendres et assez mûrs dès leur jeune âge, mais les rendements étaient un peu excessifs pour en faire une grande année de garde.

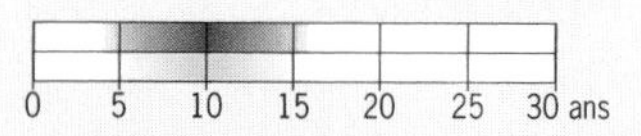

1990 ★★★★ **B et R**
Une grande année de garde pour les vins rouges, avec des niveaux de sucre naturel inhabituels. Beaucoup de couleur et de matière, et les meilleurs peuvent encore vieillir longtemps. Des blancs très bien équilibrés.

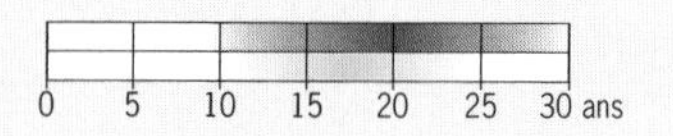

1992 ★★★★ B et ★★ R

Grand millésime pour les blancs. Les rouges ont surtout joué sur les registres de la finesse et du fruit, ils devraient être bus maintenant.

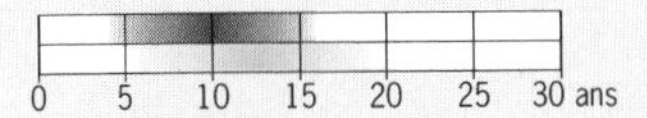

1993 ★★★ B et R

Année de belle qualité pour les vins rouges, avec des tannins un peu austères dans leur jeunesse et des acidités prononcées. Cela indique une année de longue garde, mais avec moins de chair que les 1990. Les blancs ont parfois manqué de la concentration des 1992, mais les meilleurs pourront durer plus longtemps.

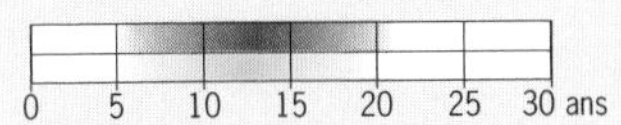

1994 ★★★ B et ★★ R

Très variable pour les rouges, avec souvent des tannins durs et une absence de fruit : de moyenne garde.
Les blancs sont plus intéressants, mais il ne s'agit pas d'une année de longue garde.

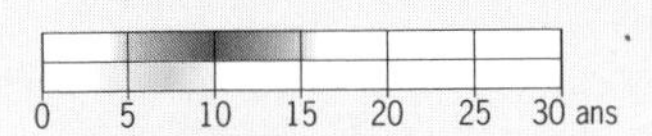

1995 ★★★★ B et R

Année de belle qualité pour les blancs comme pour les rouges.

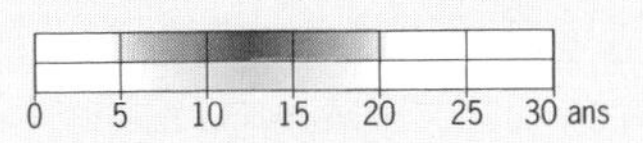

1996 ★★★★★ B et R

Une très grande année de garde pour les deux couleurs, mais une année exceptionnelle pour les vins blancs, avec une forte acidité associée à une belle maturité.

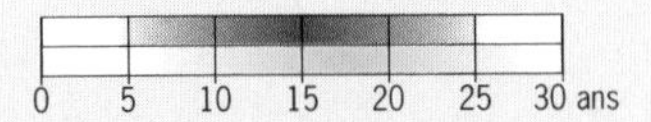

1997 ★★★ B et R

Les rouges ont bénéficié de rendements faibles et d'une belle maturité, mais n'ont pas une grande concentration.
Ils sont charnus et opulents, très charmeurs. Les blancs sont souples et relativement gras, mais manquent de profondeur.

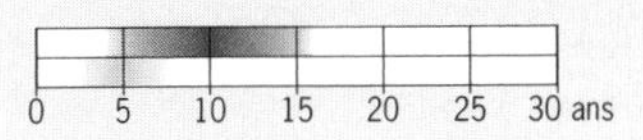

1998 ★★ B et R

Plus tanniques que les 1997, les rouges se présentent comme des vins de moyenne garde.
Les blancs sont plus variables.

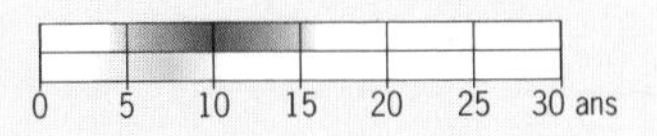

1999 ★★★★ B et R

Assez beau millésime.

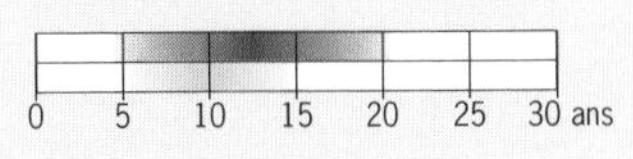

B Blancs **R** Rouges
★★ année correcte
★★★ bonne année
★★★★ excellente année
★★★★★ année exceptionnelle

Les adresses de l'AOC

BIVB
Bureau Interprofessionnel
des Vins de Bourgogne
12, boulevard Bretonnière — BP 150
21204 Beaune Cedex
Tél. : 03 80 25 04 80
Fax : 03 80 25 04 81
Le BIVB abrite également une école du vin, qui organise des sessions d'initiation et de perfectionnement à la connaissance de tous les vins de Bourgogne.
Tél. : 03 80 25 04 95
Fax : 03 80 25 04 81
E-mail : ecole.vin@bivb.com

Office du tourisme de Beaune
2, rue de l'Hôtel-dieu
21200 Beaune
Tél. : 03 80 26 21 30
Fax : 03 80 26 21 39

Athenaeum de la vigne et du vin
7, rue de l'Hôtel-Dieu
21200 Beaune
Tél. : 03 80 25 08 30
Située en face de l'hôtel-Dieu (Hospices de Beaune), elle est l'une des plus importantes librairies consacrées au vin en France.

Carnet d'adresses des producteurs

Les appellations « villages » de la côte de Beaune, comme celles de la côte de Nuits, ne sont pas très étendues. Si Beaune, avec Gevrey-Chambertin, est la plus grande d'entre elles, cette appellation a la particularité d'héberger un grand nombre des maisons de négoce de la Bourgogne. En bonne logique, les meilleures d'entre elles ont acquis à Beaune, à travers leur longue vie, des vignobles relativement importants. En plus, ces mêmes maisons, et d'autres qui possèdent moins de vignes en main propre, achètent vins et raisins à Beaune en quantités non négligeables. L'une des conséquences est que, proportionnellement à la surface de l'appellation, il existe un peu moins de producteurs que dans d'autres villages.

BEAUNE (21200)

Maison Bouchard Père et Fils
15, rue du Château
BP 70
Tél. : 03 80 24 80 24
Fax : 03 80 22 55 88
Cette maison possède le vignoble le plus important de Côte d'Or : 130 ha, dont une grande partie en Premiers et Grands Crus. Depuis 1995, ses vins comptent parmi les meilleurs, avec une clarté d'expression qui autorise une véritable déclinaison de l'expression des terroirs bourguignons.
En Premier Cru de Beaune, la maison produit une dizaine de rouges et quatre blancs, dans des quantités variables. Au sommet se trouve le mythique « Vigne de l'Enfant Jésus », parcelle située au cœur des Grèves. Ce vin possède une texture de velours somptueuse et une structure qui lui autorise une garde exceptionnelle : j'ai goûté des bouteilles du XIXe siècle absolument remarquables.
Mais on peut aussi se délecter du tellurique Teurons ou du vibrant Clos de la Mousse.
-Beaune Premier Cru Grèves, Vigne de l'Enfant Jésus, rouge,

-Beaune Premier Cru
Clos de la Mousse, rouge,
-Beaune Premier Cru
les Avaux, rouge,
-Beaune Premier Cru
Clos du Roi, rouge,
-Beaune Premier Cru
Belissand, rouge,
-Beaune Premier Cru
À l'Écu, rouge,
-Beaune Premier Cru
Sur les Grèves, rouge,
-Beaune Premier Cru
les Marconnets, rouge,
-Beaune Premier Cru
les Teurons, rouge,
-Beaune Premier Cru
Clos Saint-Landery, blanc,
-Beaune Premier Cru
les Aigrots, blanc,
-Beaune Premier Cru
les Tuvilains, blanc,
-Beaune Premier Cru
Sur les Grèves, blanc,
-ainsi que des cuvées
en achat de raisins.

MAISON CHAMPY
5, rue du Grenier-à-Sel
BP 53
Tél. : 03 80 25 09 99
Fax : 03 80 24 09 95
Le plus ancien négociant-éleveur encore en activité en Bourgogne, car ses origines remontent à 1720. De réels efforts ont été récemment consentis par la famille Meurgey pour faire gravir à cette institution un nouvel échelon, malgré le fait qu'elle ne possède plus de vignoble.
Champy produit une large gamme de vins de Beaune sans fausse note.
-Beaune Premier Cru
Aux Cras, rouge,
-Beaune Premier Cru
Champs Pimont, rouge,
-Beaune Premier Cru
Clos des Avaux, rouge,
-Beaune Premier Cru
les Avaux, rouge,
-Beaune Premier Cru
les Grèves, rouge,
-Beaune Premier Cru
les Teurons, rouge,
-Beaune Premier Cru
les Tuvilains, rouge,
-Beaune rouge.

CHANSON PÈRE ET FILS
10, rue du Collège
BP 232
Tél. : 03 80 25 97 97
Fax : 03 80 24 17 42
Cette vieille maison peut se targuer d'être à la tête de l'une des plus belles collections de Premiers Crus de Beaune. Elle en tire des vins remarquables et réguliers, privilégiant la souplesse et l'élégance. Les Fèves, en rouge, et le Clos des Mouches, en blanc, en sont de mémorables exemples. La maison a été récemment acquise par la maison champenoise Bollinger.
-Beaunes Premier Cru
À l'Écu, rouge,
-Beaune Premier Cru
Champs Pimont, rouge,
-Beaune Premier Cru
Clos des Mouches, blanc,
-Beaune Premier Cru
Clos des Mouches, rouge,
-Beaune Premier Cru
Clos du Roi, blanc,
-Beaune Premier Cru
Clos du Roi, rouge,
-Beaune Premier Cru
les Bressandes, rouge,
-Beaune Premier Cru
les Fèves, rouge,
-Beaune Premier Cru
les Grèves, rouge,
-Beaune Premier Cru
les Marconnets, rouge,
-Beaune Premier Cru
les Teurons, rouge,
-Beaune Premier Cru
les Vignes Franches, rouge.

MAISON JOSEPH DROUHIN
7, rue d'Enfer
BP 29
Tél. : 03 80 24 68 88
Fax : 03 80 22 43 14
L'une des maisons qui constituent le cœur des propriétaires-négociants de Beaune, son nom est connu et respecté dans le monde entier grâce à une politique exigeante de qualité et de contrôle de l'origine de ses vins.
Son vignoble, de plus de 60 ha, est réparti entre la côte de Beaune et la côte de Nuits, dont de très belles parcelles à Beaune.
Le style de la maison privilégie le fruit et la fraîcheur, toujours dans le respect des terroirs.
Les vins possèdent, dans leur jeunesse, une droiture stylée.
Les cuvées Clos des Mouches, blanc et rouge, comptent parmi les stars de l'appellation.

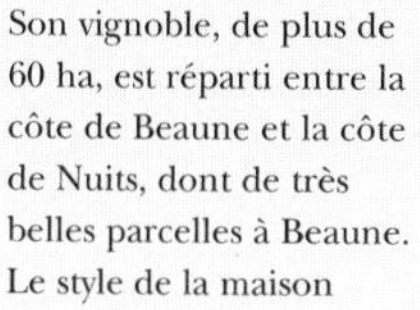

-Côte-de-beaune,
-Beaune Premier Cru, rouge,
-Beaune Premier Cru
Aux Cras, rouge,
-Beaune Premier Cru
Champs Pimont, rouge,
-Beaune Premier Cru
Clos des Mouches, blanc,

-Beaune Premier Cru
Clos des Mouches, rouge,
-Beaune Premier Cru
les Épenotes, rouge,
-Beaune Premier Cru
les Grèves, rouge.

CAMILLE GIROUD
3, rue Pierre-Joigneaux
BP 111
Tél. : 03 80 22 12 65
Fax : 03 85 22 42 84
Cette maison de négoce, propriétaire de vignobles à Beaune, doit sa réputation à un style affirmé et assez singulier, consistant à produire des vins de longue garde. Inutile donc de les juger dans leur jeunesse; il faut absolument les faire vieillir de longues années en cave. Ils dévoilent alors toutes les subtilités des bourgognes matures.
-Beaune rouge,
-Beaune Premier Cru
Aux Cras, rouge,
-Beaune Premier Cru
les Avaux, rouge.

MAISON LOUIS JADOT
21, rue Eugène-Spuller
BP 117
Tél. : 03 80 22 10 57
Fax : 03 80 22 56 03
L'une des très grandes maisons de Bourgogne, tant par ses dimensions (vignoble de 105 ha) que par la qualité de sa production.
La gamme est très large, en particulier en beaune, mais la maison excelle dans l'art d'exprimer les nuances propres à chaque terroir. Il s'agit donc d'un des rares domaines qui permettent d'explorer toute les subtilités du vignoble beaunois, à travers une large palette de vins élevés avec soin. Les saveurs sont pleines et les vins possèdent une fraîcheur naturelle qui leur confère une résonance profonde.
-Beaune Premier Cru
les Grèves, blanc,
-Beaune Premier Cru
les Avaux, blanc,
-Beaune Premier Cru
les Boucherottes, rouge,
-Beaune Premier Cru
les Bressandes, rouge
-Beaune Premier Cru
les Cents Vignes, rouge,
-Beaune Premier Cru
les Chouacheux, rouge,
-Beaune Premier Cru
le Clos des Couchereaux, rouge,
-Beaune Premier Cru
le Clos des Ursules, rouge,
-Beaune Premier Cru
les Teurons, rouge.

MAISON LOUIS LATOUR
18, rue des Tonneliers - BP 127
Tél. : 03 80 24 81 00
Fax : 03 80 22 36 21
La maison est à la tête d'un vignoble de 50 ha comptant de nombreuses parcelles en beaune Premier Cru.
Les blancs apparaissent particulièrement denses et gras comme le très bon les Grèves. Les rouges, en progrès depuis peu de temps, montrent une jolie matière dotée d'un fruit agréable.
-Beaune blanc,
-Beaune rouge,
-Beaune Premier Cru
les Grèves, blanc,
-Beaune Premier Cru
les Vignes Franches, rouge.

DOMAINE ALBERT MOROT
Château de la Creusotte
Avenue Charles-Jaffelin
Tél. : 03 80 22 35 39
Fax : 03 80 22 47 50
Centré à Beaune où il détient des parcelles dans sept Premiers Crus, le domaine Morot s'astreint à un travail remarquable et classique : vieilles vignes, bas rendements, tris sélectifs des raisins. Les vins en tirent un velouté remarquable et une belle complexité aromatique.
-Beaune Premier Cru
les Cent Vignes, rouge,
-Beaune Premier Cru
les Bressandes, rouge,
-Beaune Premier Cru
les Toussaints, rouge,
-Beaune Premier Cru
les Aigrots, rouge et blanc,
-Beaune Premier Cru
les Grèves, rouge,
-Beaune Premier Cru
les Marconnets, rouge,
-Beaune Premier Cru
les Teurons, rouge.

CHASSAGNE-MONTRACHET (21190)

MARC MOREY ET FILS
3, rue Charles-Paquelin
Tél. : 03 80 21 30 11
Fax : 03 80 21 90 20
Ce très bon producteur, spécialisé dans les grands blancs de la commune

de Chassagne, est également propriétaire d'un demi-hectare de pinot noir à Beaune.
-Beaune rouge.

CHOREY-LÈS-BEAUNE

(21200)

DOMAINE MICHEL ARNOUX PÈRE ET FILS
Rue des Brenots
Tél. : 03 80 22 57 98
Fax : 03 80 22 16 85
De très beaux vins. Les 22 ha du domaine comptent de belles parcelles en beaune Premier Cru dont l'excellent En Genêt, à l'origine d'un vin particulièrement expressif et complexe.
-Beaune Premier Cru les Cent Vignes, rouge,
-Beaune Premier Cru En Genêt, rouge.

DOMAINE FRANCOIS GAY
9, rue des Fietres
Tél. : 03 80 22 69 58
Fax : 03 80 24 71 42
Ce domaine de 7 ha basé à Chorey-lès-Beaune propose un excellent beaune Clos des Perrières, profond en couleur et en arômes. Excellent rapport qualité-prix.
-Beaune Premier Cru Clos des Perrières, rouge.

MICHEL GAY
1b, rue des Brenots
Tél. : 03 80 22 22 73
Fax : 03 80 22 95 78
Également propriétaire de vignes dans les appellations voisines de Savigny et Chorey, le domaine produit des vins bien faits et plaisants.
-Beaune Premier Cru les Grèves, rouge,
-Beaune Premier Cru les Toussaints, rouge.

DOMAINE GERMAIN PPÈRE ET FILS
Au château
Tél. : 03 80 24 06 39
Fax : 03 80 24 77 72
Ce domaine de 16,5 ha détient des parcelles dans plusieurs Premiers Crus de Beaune dont il sait à merveille exprimer les nuances. Associant élégance et robustesse, ces vins se distinguent par leur matière charnue à l'image du beaune Aux Cras, remarquable de profondeur et d'équilibre.

-Beaune Premier Cru Aux Cras, rouge,
-Beaune Premier Cru les Aigrots, rouge,
-Beaune Premier Cru les Boucherottes, rouge,
-Beaune Premier Cru les Cent Vignes, rouge,
-Beaune Premier Cru les Teurons, rouge,
-Beaune Premier Cru les Vignes Franches, rouge,
-Beaune Premier Cru Sur les Grèves, blanc.

DANIEL LARGEOT
5, rue des Brenots
Tél. : 03 80 22 15 10
Fax : 03 80 22 60 62

Ce domaine de 11 ha, situé à Chorey-lès-Beaune, possède également une parcelle de beaune Premier Cru les Grèves, et en élabore un vin exemplaire, profond et concentré, à un prix très raisonnable.
-Beaune Premier Cru les Grèves, rouge.

DOMAINE MAILLARD PÈRE ET FILS
2, rue Joseph-Bard
Tél. : 03 80 22 10 67
Fax : 03 80 24 00 42
Ce domaine comprend 18 ha répartis sur sept communes. Le beaune les Grèves bénéficie d'un élevage soigné en fût de chêne pendant une durée de 18 mois.
-Beaune rouge,
-Beaune Premier Cru les Grèves, rouge.

DOMAINE TOLLOT-BEAUT ET FILS
Tél. : 03 80 22 16 54
Fax : 03 80 22 12 61
Un domaine qui propose des vins nets, avec une matière souvent veloutée et un excellent fruit. Parfois un peu trop marqués dans leur

jeunesse par leur élevage sous bois, ils vieillissent bien et sont d'une grande fiabilité, année après année.

-Beaune rouge,
-Beaune Premier Cru Blanches Fleurs, rouge,
-Beaune Premier Cru Clos du Roi, rouge,
-Beaune Premier Cru les Grèves, rouge.

GEVREY-CHAMBERTIN (21220)

Jacques Rossignol-Trapet
Rue de la Petite-Issue
Tél. : 03 80 51 87 26
Fax : 03 80 34 31 63
Plus connu pour ses vins de la commune de Gevrey, ce domaine produit aussi trois cuvées sur Beaune.

-Beaune rouge,
-Beaune Premier Cru les Teurons, rouge,
-Beaune Premier Cru les Tuvilains, rouge.

MEURSAULT (21190)

Ampeau Robert et fils
6, rue du Cromin
Tél. : 03 80 21 20 35
Fax : 03 80 21 65 09

-Beaune rouge,
-Beaune Premier Cru Clos du Roi, rouge.

Domaine Michel Bouzereau et Fils
3, rue de la Planche-Meunière
Tél. : 03 80 21 20 32
Fax : 03 80 21 64 34
Un domaine de 12 ha essentiellement consacré au vins blancs. Mais, depuis quelques années, il se distingue également par la qualité de ses rouges dont l'excellent Vignes Franches, fruité et épicé.

-Beaune les Épenotes, rouge,
-Beaune Premier Cru les Vignes Franches, rouge.

Domaine des Clos
Tailly
Tél. : 03 80 21 42 66
Fax : 03 80 21 42 91
Petit domaine qui possède 3,5 ha de vignes sur Beaune. Les vins sont vinifiés avec beaucoup de soin, dans un style assez rond qui conserve une pleine expression au fruit. Une excellente introduction aux vins de Beaune.

- Beaune rouge,
- Beaune Premier Cru, rouge,
- Beaune Premier Cru Clos des Avaux, rouge,
- Beaune Premier Cru Champs Pimont, rouge,
- Beaune Premier Cru Grèves, rouge.

Demougeot Rodolphe
2, rue du Clos-de-Mazeray
Tél. : 03 80 21 28 99
Fax : 03 80 21 29 18
La maison, à la tête d'un domaine de 7,2 ha, dont une partie en beaune, vinifie ses vins dans un style moderne. Très concentrés, avec un bouquet exubérant, ils sont taillés pour affronter les années.

-Beaune Premier Cru les Beaux Fougets, rouge,
-Beaune Premier Cru les Épenotes, rouge,
-Beaune rouge,
-Beaune blanc.

François Gaunoux
23, rue du 11-Novembre 1913 - BP 2
Tél. : 03 80 21 22 40
Fax : 03 80 21 24 32
Ce domaine possède des vignobles à Meursault, Volnay, Pommard et Puligny-Montrachet, ainsi qu'une parcelle du célèbre Clos des Mouches dont il tire un vin bien fait et élégant.

-Beaune Premier Cru Clos des Mouches, rouge.

Domaine Henri Germain & Fils
4, rue des Forges
21190 meursault
Tél. : 03 80 21 22 04
Fax : 03 80 21 67 82
Ce domaine compte 5 ha répartis dans quelques prestigieuses appellations de la côte de Beaune. Très réputé pour ses blancs, il excelle également en rouge,

comme en témoigne le très louable beaune Premier Cru les Bressandes, issu de vieilles vignes.
-Beaune Premier Cru les Bressandes, rouge.

Château de Meursault
Rue du Moulin-Foulet
Tél. : 03 80 26 22 75
Fax : 03 80 26 22 76
Un très important domaine de 60 ha reconnu pour la qualité de ses vins blancs issus d'appellations prestigieuses. Son site à Meursault est très visité et il possède également plusieurs parcelles en beaune Premier Cru.
-Beaune blanc,
-Beaune rouge,
-Beaune Premier Cru rouge,
-Beaune Premier Cru Blanches Fleurs, rouge,
-Beaune Premier Cru les Cent Vignes, rouge,
-Beaune Premier Cru les Grèves, rouge,
-Beaune Premier Cru les Toussaints, rouge.

Domaine Jacques Prieur
Les Herbeux
2, rue des Sautenots - BP 36
Tél. : 03 80 21 23 85
Fax : 03 80 21 29 19
Un domaine splendide de 21 ha dans quelques-unes des plus prestigieuses appellations de la Bourgogne.
Les vins sont riches, expressifs et de belle structure, exploitant toutes les possibilités d'une vinification moderne. Une mention particulière, parmi les vins de Beaune, pour les Grèves et Champs Pimont.
-Beaune Premier Cru Champs Pimont, blanc,
-Beaune Premier Cru Champs Pimont, rouge,
-Beaune Premier Cru Clos de la Feguine, blanc,
-Beaune Premier Cru Clos de la Feguine, rouge,
-Beaune Premier Cru les Grèves, rouge.

NUITS-SAINT-GEORGES (21700)

Dominique Laurent
2, rue Jacques-Duret
Tél. : 03 80 61 49 94
Fax : 03 80 61 49 95
Une maison de négoce devenue une référence grâce au génie d'un très grand vinificateur-éleveur. Les vins sont produits en toutes petites quantités et sont donc difficiles à trouver, mais ils valent le déplacement. Il faut faire attention à leur stockage, car leur dosage en soufre est très faible, au bénéfice d'un fruit plus expressif et d'une texture de grande finesse.
-Beaune rouge,
-Beaune Premier Cru rouge,
-Beaune Premier Cru Clos des Mouches, rouge,
-Beaune Premier Cru les Grèves, rouge.

PERNAND-VERGELESSES (21420)

Domaine P. Dubreuil-Fontaine Père et Fils
Au bourg
Tél. : 03 80 21 55 43
Fax : 03 80 21 51 69
Propriétaire d'une vingtaine d'hectares, essentiellement situés dans les appellations voisines de Beaune, ce domaine élabore des vins finement fruités.
-Beaune Premier Cru les Montrevenots, rouge.

Rapet Père et Fils
Rue des Paulands
Tél. : 03 80 21 50 05
Fax : 03 80 21 53 87
Des vins rouges de Beaune en progrès sensible, faisant preuve d'un excellent équilibre.
-Beaune rouge,
-Beaune Premier Cru Clos du Roi, rouge,
-Beaune Premier Cru les Grèves, rouge.

POMMARD (21630)

Domaine Jean-Marc Boillot
Rue Mareau
Tél. : 03 80 22 71 29
Fax : 03 80 24 98 07
Cet excellent propriétaire-négociant possède un petit vignoble à Beaune. Des vins très bien vinifiés, délicieux dès leur jeunesse.
-Beaune Premier Cru les Montrevenots, blanc,
-Beaune Premier Cru rouge.

Joillot Jean-Luc
Rue de la Métairie
Tél. : 03 80 24 20 26
Fax : 03 80 24 67 54

Ce domaine, dont les vignobles se situent essentiellement à Pommard, possède également quelques parcelles à Beaune. Très réguliers, ces vins sont profonds, denses et d'une belle maturité.
-Beaune rouge,
-Beaune Premier Cru Montée Rouge, rouge.

LEROYER-GIRARDIN ALETH
Route d'Autun
Tél. : 03 80 22 59 69
Fax : 03 80 24 96 57
La propriété est constituée de 7 ha sur les communes de Pommard et de Beaune. Un travail pointilleux est mené dans les vignes comme dans le chai pour obtenir des vins bien définis et élégants, issus de vignes âgées.
-Beaune Premier Cru Clos des Mouches, rouge,
-Beaune Premier Cru les Montrevenots, rouge.

DOMAINE PARENT
Place de l'Église
Tél. : 03 80 22 15 08
Fax : 03 80 24 19 33
Ce beau domaine créé au début du XIXe siècle possède des vignes sur les communes de Pommard, Volnay, Monthélie, Ladoix et Corton. Il possède également une parcelle des Épenotes à Beaune, à l'origine d'un beau vin bénéficiant d'un élevage de 20 à 24 mois en barriques dont 30 à 40 % de bois neuf.
-Beaune Premier Cru les Épenotes, rouge.

PULIGNY-MONTRACHET (21630)

CHARTRON ET TRÉBUCHET
13, Grande-Rue
Tél. : 03 80 21 32 85
Fax : 03 80 21 36 35
La maison possède une dizaine d'hectares et complète ses besoins par des achats sélectifs de moûts. Les vins ont acquis ces dernières années une dimension supplémentaire.
-Beaune Premier Cru Bressandes, rouge.

PAUL PERNOT ET FILS
7 place du Monument
Tél. : 03 80 21 32 35
Fax : 03 80 21 94 51
Une partie des vins produits est vendue à la maison Drouhin, tandis qu'une autre est commercialisée directement.
-Beaune rouge,
-Beaune Premier Cru les Reversées, rouge,
-Beaune Premier Cru les Teurons, rouge,
-Beaune Premier Cru Marconnets, rouge.

SAINT-AUBIN (21190)

DOMAINE HUBERT LAMY
Le Paradis
Tél. : 03 80 21 32 55
Fax : 03 80 21 38 32
Cet excellent producteur de Saint-Aubin propose aussi un bon vin dans la petite appellation des Hautes-Côtes-de-Beaune.
-Hautes-côtes-de-beaune rouge.

SANTENAY (21590)

DOMAINE VINCENT GIRARDIN
4, route de Chassagne-Montrachet
Tél. : 03 80 20 64 29
Fax : 03 80 20 64 88
Le domaine exploite un vignoble de 14 ha répartis dans la côte de Beaune dont une parcelle du Premier Cru de beaune, les Vignes Franches. On privilégie ici un style tout en concentration, avec un fruit très abondant et un élevage ambitieux. L'approche est donc très moderne et les vins nécessitent une garde assez longue.
-Beaune rouge,
-Beaune Premier Cru les Vignes Franches, rouge.

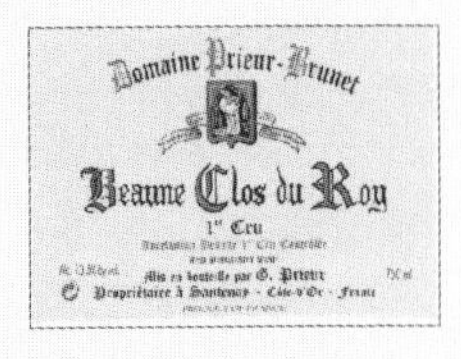

DOMAINE PRIEUR-BRUNET
Rue de Narosse
Château Perruchot
Tél. : 03 80 20 60 56
Fax : 03 80 20 64 31
Ce domaine d'une vingtaine d'hectares dans plusieurs appellations de la côte de Beaune, dont une parcelle en beaune Premier Cru Clos du Roi, est à l'origine d'un vin complet doté d'un fruit délicieux.
-Beaune Premier Cru Clos du Roi, rouge.

SAVIGNY-LÈS-BEAUNE (21420)

DOMAINE DOUDET-NAUDIN
3, rue Henry-Cyrot
Tél. : 03 80 21 51 74
Fax : 03 80 21 50 69
Un domaine de 7 ha, avec de belles parcelles en Premier Cru dans un style particulièrement plaisant et sans excès.
-Beaune Premier Cru Clos du Roi, rouge,
-Beaune Premier Cru les Cent Vignes, rouge.

VOLNAY (21190)

DOMAINE BITOUZET PRIEUR
Rue de la Combe
Tél. : 03 80 21 62 13
Fax : 03 80 21 63 39
Petit domaine, vins de qualité.
-Beaune Premier Cru les Cent Vignes, rouge.

DOMAINE JEAN BOILLOT ET FILS
Rue des Angles
Tél. : 03 80 21 61 90
Fax : 03 80 21 29 84
Faisant largement appel à des barriques neuves, ce domaine produit de beaux vins dans un style moderne et expressif.
-Beaunes Premier Cru Clos du Roi, rouge
-Beaunes Premier Cru les Épenotes, rouge.

DOMAINE PASCAL BOULEY
Place de l'Église
Tél. : 03 80 21 61 69
Fax : 03 80 21 66 44
Propriétaire d'un vignoble de plus de 10 ha, ce domaine produit un excellent beaune générique exprimant bien le style de la maison, dense et aromatique, avec une structure taillée pour la garde.
-Beaune rouge.

DOMAINE MICHEL LAFARGE
Rue de la Combe
Tél. : 03 80 21 61 61
Fax : 03 80 21 67 83
Ce domaine exemplaire produit, régulièrement, des vins superbes.
Ici, tout est fait pour optimiser les dons de la nature donne : choix de la matière végétale, faible rendements, souci de l'environnement et adaptation à ses variances.
Son beaune les Grèves est une merveille, malheureusement disponible en faibles quantités.
-Beaune rouge,
-Beaune Premier Cru les Grèves, rouge.

DOMAINE ROSSIGNOL-JEANNIARD
Rue de Mont
Tél. : 03 80 21 62 43
Fax : 03 80 21 27 61
Les vins de ce domaine bénéficient d'une vinification soignée et respectueuse des identités des terroirs. Le beaune Premier Cru les Reversés est d'un style élégant, avec un bel équilibre qui le rendra apte au vieillissement.
-Beaune Premier Cru les Reversées, rouge,
-Beaune rouge.

NICOLAS ROSSIGNOL
Rue de Mont
Tél. : 03 80 21 62 43
Fax : 03 80 21 27 61
Cette petite propriété d'un peu plus de 4 ha est l'une des étoiles montantes de la Bourgogne.
Son beaune possède toute les qualités des vins du domaine, à la fois puissants et élégants.
-Beaune rouge.

VOUGEOT (21640)

DOMAINE PIERRE LABET
Domaine du Château de la Tour
Clos Vougeot
Tél. : 03 80 62 86 13
Fax : 03 80 62 82 72
Propriétaire d'un important vignoble à Vougeot, le domaine possède également des vignes à Beaune. Ces dernières années, il a franchi un cap qui le classe parmi les meilleurs producteurs. Les beaunes sont ici des vins de belle concentration, avec de remarquables qualités de finesse, bénéficiant d'un élevage sans excès. Ils ont la constitution nécessaire à une bonne garde, mais leur texture fine les rend séduisants dans leur jeunesse.
-Beaune blanc,
-Beaune Clos les Mosnieres, rouge,
-Beaune Premier Cru Aux Coucherias, rouge.

QUELQUES HÔTELS ET RESTAURANTS

L'importance touristique de Beaune et la riche tradition gastronomique bourguignonne font que les auberges et les restaurants n'y manquent pas. Voici quelques bonnes adresses à la cave bien fournie.

À BEAUNE

LE CAVEAU DES ARCHES
Restaurant
10, boulevard Perpreuil
Tél. : 03 80 22 10 37
Fax : 03 80 22 76 44
Excellente cuisine régionale dans un cadre simple, mais chaleureux, de caveau, bien situé sur le boulevard qui encercle le centre historique.

LE JARDIN DES REMPARTS
Restaurant
10, rue de l'Hôtel-Dieu
Tél. : 03 80 24 79 41
Fax : 03 80 24 92 79
Une belle maison bourgeoise à proximité de l'hôtel-Dieu et qui donne sur le boulevard circulaire.
Roland Chanliaud propose une cuisine recherchée et créative à chaque étape du repas.
À mon avis, la meilleure table de Beaune.

AUBERGE BOURGUIGNONNE
Hôtel-restaurant
4, place de la Madeleine
Tél. : 03 80 22 23 53
Fax : 03 80 22 51 64
Bonne cuisine du terroir et chambres confortables.

LE BISTROT BOURGUIGNON
Bar à vin
Tél. : 03 80 22 23 24
Fax : 03 80 22 84 25
Cuisine régionale simple et de bonne facture, très belle sélection de vins de Bourgogne au verre, et concerts de jazz en fin de semaine.
Une très bonne adresse.

LES TONTONS
Restaurant
22, faubourg Madeleine
Tél. : 03 80 24 19 64
Fax : 03 80 22 34 07
Près de la place de la Madeleine, un bistrot chaleureux avec une bonne sélection de vins servis au verre.

LE BENATON
Restaurant
25, faubourg Bretonnière
Tél. : 03 80 22 00 26
Fax : 03 80 22 51 95
Sur la route qui conduit vers le sud de Beaune, mais près du centre, une cuisine de terroir moderne et délicieuse aux prix très étudiés.
Bonne sélection de vins de jeunes vignerons de la région.

LE CEP
Hôtel
27, rue Maufoux
Tél. : 03 80 22 35 58
Fax : 03 80 22 76 80
Un des plus fameux hôtels de Beaune, avec cinquante-six chambres de très bon confort, en plein cœur de la ville, dans une maison du XVIe siècle.
Le restaurant attaché à l'hôtel sert une cuisine bonne et agréable.

LES REMPARTS
Hôtel
48, rue Thiers
Tél. : 03 80 24 94 94
Fax : 03 80 24 97 08
Dans une rue tranquille, pas très loin du centre de Beaune, cet hôtel, sans restaurant, a beaucoup de charme et pratique des prix modérés.

AUX ENVIRONS DE BEAUNE

AU BON ACCUEIL
Restaurant
21200 La-Montagne-de-Beaune
Tél. : 03 80 22 08 80
L'étape idéale pour se restaurer après une randonnée de découverte dans les vignobles de Beaune. En haut de la côte, par la D 970, dans le hameau de Montagne, ce restaurant, qui offre un panorama sur les vignes, est un repaire de vignerons locaux.
Excellente cuisine, simple et à prix modiques.

LA BOUZEROTTE
Restaurant
21200 Bouze-lès-Beaune
Tél. : 03 80 26 01 37
Fax : 03 80 26 09 37
Bien située pour une halte lors d'une tournée à travers le vignoble, cette auberge propose un décor chaleureux et une cuisine de terroir.

BIBLIOGRAPHIE

EN FRANÇAIS

- *Une histoire mondiale du vin*, Hugh Johnson, Hachette, 1990.
- *Le Vin de Bourgogne*, Jean-François Bazin, Hachette, 1996.
- *Histoire et statistique de la vigne des grands vins de la côte d'Or*, M.-J. Lavalle, 1855.
- *Les Vins de Bourgogne*, Pitiot et Servan, PUF, 1992.
- *Atlas des grands vins de Bourgogne*, Pitiot et Poupon, Ed. J. Legrand, 1985.
- *Bourgogne*, Guide Bleu, Hachette.
- *Toute la Bourgogne*, Pierre Poupon, PUF, 1970.
- *Voyage en Bourgogne*, Nicholas Faith, C.D.C., 1991.
- *Les Lieux-dits dans le vignoble bourguignon*, M.-H. Landrieu-Lussigny, Ed. Jeanne Laffitte, 1983.

EN ANGLAIS

- *Burgundy*, Anthony Hanson, Faber and Faber, 1982 et 1995.
- *Le Terroir*, James E. Wilson, Mitchell Beazley, 1998.
- *The Great Domaines of Burgundy*, Remington Norman, Kyle Cathie, 1992 et 1996.

REMERCIEMENTS

L'auteur tient à remercier particulièrement les maisons Bouchard Père & Fils, Joseph Drouhin et Louis Jadot pour les informations qu'ils ont bien voulu lui fournir.

CRÉDIT ICONOGRAPHIQUE

Iwona Seris : dessin de couverture ;

SCOPE :
Jacques Guillard : pages 8, 15, 18, 26, 29, 30, 37, 39, 50, 59 ;
Jean-Luc Barde : pages 20ab, 24b, 28 ;
Michel Guillard : pages 36-37 ;
Francis Jalain : page 53 ;
Daniel Czap : page 67 ;

Bridgeman Giraudon-Lauros : page 11 ;

Vincent Lyky/Gwenaëlle Volanis : pages 63, 65, 69, 71, 73, 75 ;

Friedriech Gier : pages 4, 17, 21, 24a, 25, 27, 49, 77 ;

Documents Archipel concept : gardes et pages 2, 12-13, 42-43 (gravures extraites de l'*Ampélographie* de P. Viala et V. Vermorel), 61 ;

Nicole Colin : dessins pages 22-23, 35, 44-45 ;

Benoît France : cartes pages 22-23 et 32-33.

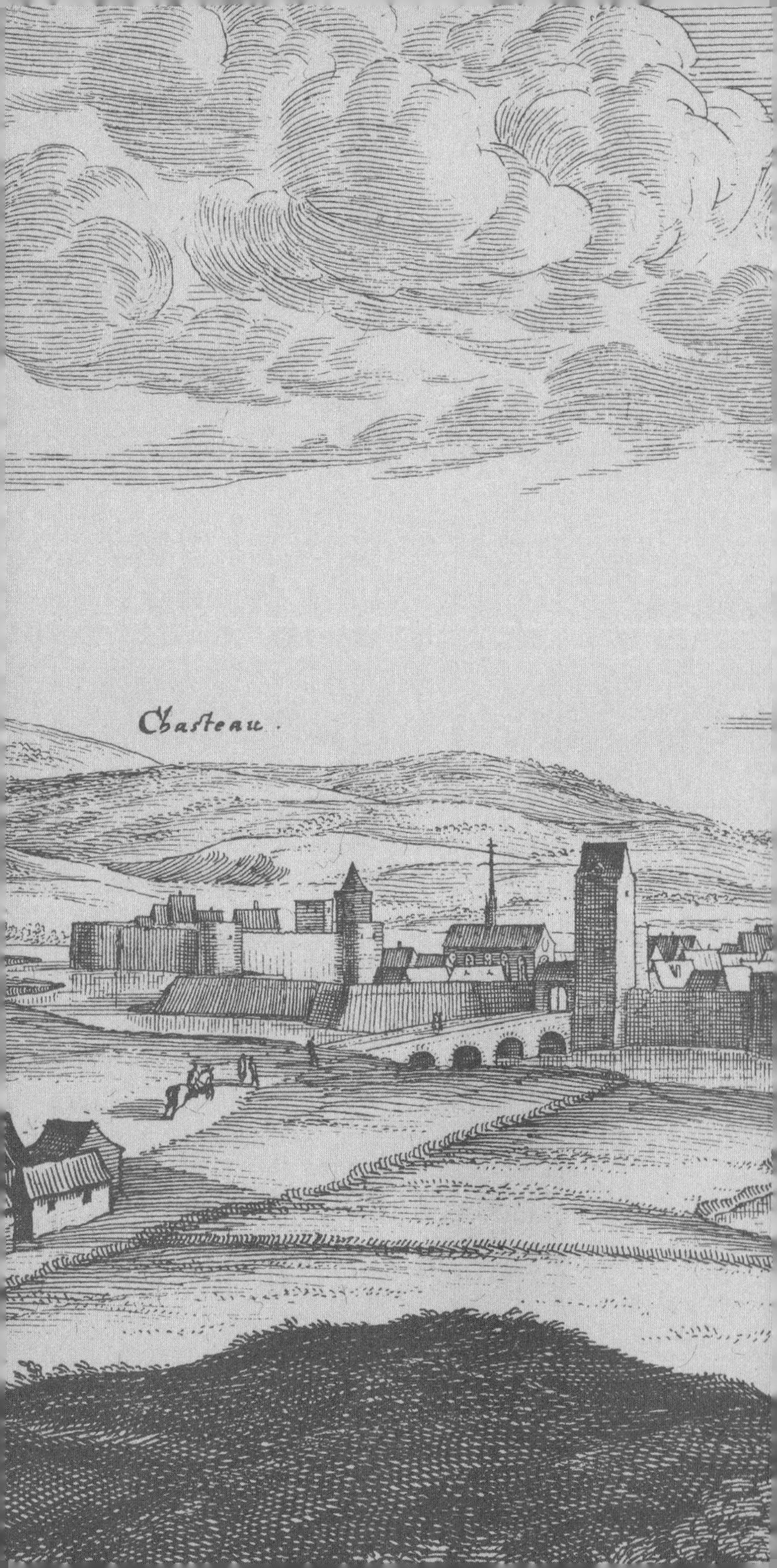
Chasteau.